KB085300

회색 時

도서출판 아시아에서는 《바이링궐 에디션 한국 대표 소설》을 기획하여 한국의 우수한 문학을 주제별로 엄선해 국내외 독자들에게 소개합니다. 이 기획은 국내외 우수한 번역가들이 참여하여 원작의 품격을 최대한 살렸습니다. 문학을 통해 아시아의 정체성과 가치를 살피는 데 주력해 온 도서출판 아시아는 한국인의 삶을 넓고 깊게 이해하는 데 이 기획이 기여하기를 기대합니다.

Asia Publishers presents some of the very best modern Korean literature to readers worldwide through its new Korean literature series 〈Bilingual Edition Modern Korean Literature〉. We are proud and happy to offer it in the most authoritative translation by renowned translators of Korean literature. We hope that this series helps to build solid bridges between citizens of the world and Koreans through a rich in-depth understanding of Korea.

바이링궐 에디션 한국 대표 소설 044

Bi-lingual Edition Modern Korean Literature 044

Time In Gray

배수아
회색 時

Bae Su-ah

Contents

회색 時

Time In Gray

아무런 특별한 이유도 없이, 과거의 어느 사소한 순간이 생각날 때가 있다. 과거는 주로 미래의 한순간과 강하게 연결되는데, 예를 들자면 죽음이 떠오르면서 동시에 과거의 어느 한 장면이 자연스럽게, 그러나 아주 당연히 그래야만 한다고 주장하듯이 그 모습을 나타내는 것처럼 말이다. 그런데 모습을 드러낸 과거의 사건은 이미 망각되어버린 것이거나 혹은 너무나 사소하고 무의미해서 미래의 어떤 순간과는 전혀 아무런 연결고리를 갖지 않은 채 독립적으로 존재하듯이 보인다. 그 과거의 사건들은 인생의 비밀을 미리 알려주는 암시였을까. 그것이 암시였기 때문에 어느 날 우리의 의식을 비

Without any specific reason, some very trivial moment from out of the past may appear in one's mind. Strong associations with the past, composed of thoughts of the future, are common. So when death comes to mind, for example, the features of some particular scene from the past will make a natural appearance, as if this order were necessary. Yet, because the events from the past have been forgotten, or else because they were so trivial and insignificant, their existence seems to have no connection to these moments in the future. Were they hints, then, these events from the past that give us foreknowledge of life's secrets? No, they do not bring themselves to the mind, forcing their own

집고 들어오는 것이 아니라, 우리의 의식이 무심코 갈망한 우연이기 때문에 미래의 어느 날 그것은 암시가 되는 것이리라.

시간이 스스로를 관통하는 방식은 짐작되는 것보다 훨씬 더 임의적이고 즉흥적이어서 우리들의 세계에 보이는 것과 의식하는 것 사이에 거짓의 거울의 벽을 장치해 놓은 것과 같다. 그리하여 내가 믿지 않는 것의 리스트 중에는 모든 지나간 일들의 얼굴이 있다. 앞으로 남은 시간에 비해서 지나치게 많은 과거의 시간들을 갖고 있기 때문에, 그래서 노인들이 자주 과거를 회상하거나 그것을 언급한다고 나는 예전에 생각하곤 했었다. 그러나 그것은 옳지 않았다. 시간이 흐를수록 과거의 장면들이 낯설고 그 진위가 의심스러워지는 것에 반해서 앞으로의 일들이 점점 더 은밀하게 친숙하고 다정해지며 낯설지 않은 깊은 이야기를 갖게 되었다. 그리고 미래의 일에 대해서 마치 그것이 이미 완료되어 지나가 버린 것인 양 과거시제를 사용해서 말하는 것이 어색하지 않았고, 분명히 아직 겪은 것은 아님에도 불구하고 그것들을 전부 다 잘 알고 있는 것처럼 자연스럽게 생각되기도 했다. 간혹 나는 미리 그것들을 용서했으며,

way into our thoughts; rather, they are accidents, and they become hints, perhaps, of some day in the future, drawn by our thoughts' own unconscious wishes.

Time passes through itself by a process more random and spontaneous than we can guess, and it seems as if there was a wall, a mirror of illusions set up between what we can see here in our world and what we can see in our mind. So the face of the past, with its multitude of events, exists on a list of mine, a list of the things that I do not believe in. I used to think that the tendency among the old to keep looking back and making references to the past was a result of there being so much of their past left and so little of their future. However, I was wrong. As time goes by, the scenes of the past become more foreign and more dubious, and those impending events will feel closer and also more approachable, bringing with them profound stories not obscure to us.

About the future, then, I felt as if it has already happened and moved on—it would not even be awkward to employ the past tense here—naturally, as if everything about it were known, even though we had certainly not yet had any experience of it. I

아직 만나지도 못한 것들과 이별하기도 했고 사랑하기도 전에 싫증을 내기도 했다. 말 그대로 나는 때때로 미래의 일을 '기억'하곤 했다. 그에 비해서 과거의 시간들이 상대적으로 훨씬 더 모호해지고 비현실적이 되어가는 것은 이상한 일이다. 잊은 것이 아님에도 불구하고 말이다. 거울의 벽을 통한 미래는 과거의 예언이 되었다. 과거의 장면들은 화상처럼 벽에 달라붙어 있었는데 이 장면과 저 장면의 인과관계가 명확하지 않았기 때문에 그림들을 짜맞추다보면 어느새 실제로 일어났던 일들에 대해서 자신이 얼마나 큰 공포와 혐오를 가지고 있는가 깨닫고 그 예감만으로도 구토를 느끼기도 한다.

그렇게 예언된 모든 과거가 피할 수 없는 성격의 하나로 일종의 죄의식이 있다. 오랜 시간 동안 나를 괴롭혀오던 시간의 무게는 그것 때문이었다. 아마도 그런 죄의식과 회피가 모든 과거의 시간들을 더욱 비현실적인 것으로 만들어버리는 원인처럼 보인다. 선명한 채로 남아 있다면 너무나 괴로울 테니 말이다. 이런 과정들을 통해서 과거는 어떤 특정하고 기억에 남을 만한 '사건'이 아니라 단지 '시간들'이라고 표현되는 추상의 형태가 되어갔다.

have sometimes forgiven people in advance. I have known separation from what I have not yet encountered. And, even before falling in love, I have found myself wanting no more of it. Sometimes, I even "remember" things that are still in the future. But what is strange, in comparison, is the relative lack of reality in those times that actually are in the past, which grow ever more vague—even if I haven't forgotten them. The future, then, comes through the wall, the mirror, and it becomes a prophecy of the past. Scenes of the past are suspended there as images on that surface. And cause and effect, in the case of this or that scene, become unclear. So that as I move the pictures and rearrange them, before I know what has occurred, I realize just how great my terror and disgust is for those things that actually happened, so that just a touch of them makes me nauseated.

One quality that the past, foreshadowed as it may be, cannot escape is the sense of guilt that may come with it. It is because of this that that time for me has been such heavy weight. And because of this guilt, and for the sake of avoiding it, the past has become less real. Were it to remain sharp and clear, the pain would be too great. In this way, the

만일 시간이 직선으로만 흐른다면, 그런 과거의 시간에 대해서 글로 쓰는 것은 내키지 않는 일이 될 것이다. 그 이유는 이미 언급한 죄의식과는 별개로, 그리고 그것의 진위와는 또한 별개로, 인간이 항상 경험하고 사고하고 실행하고 예언하고 미래를 여행하고 글을 쓰는 모든 행위가 결국 언제나 이미 과거 안에서만 일어날 수 있는 일이기 때문이다. 이미 관념과 인식의 경계 안에서, 과거 아닌 것은 없으며 어떤 일도 과거 안에서만 진실로 발생할 수 있다. 아마도 그래서 '이야기'와 '역사'를 의미하는 단어는 종종 같은 형태를 띤다. 지금 현재의 순간에 내가 내 행위를 결정하며 이 찰나적인 순간이 내 심상 안에서 형태를 부여받기를 원하면서 머물고 있다고 생각하는 것은 슬프게도 착각이며 아무것도, 이미 거대한 과거 안에 잠식당한 미래처럼, 나의 완전한 수중에서 나를 기다리는 것은 아무것도 없는 것이다. 그것에 대해서 쓰는 것은 회색 바탕 그림 속의 회색 옷을 입은 회색빛 남자를 회색으로 덧칠하는 것과 같은 행위가 된다. 회색빛 옷을 입은 남자가 회색의 담을 따라 걸어가고 있는데 아마도 그해 유월 어느 날 안개가 심하게 낀 이른 아침의 일이다…… 이런 식으로 시작

past is transformed from the vivid and memorable into the abstract, expressed only as "those times."

If the flow of time were confined to one straight line, writing about the past would not be very pleasant. Aside from the guilt mentioned above, and aside from the truth of the past, every action that a human being might experience, in thought or in practice, every action that one might predict, every trip we might take in the future, and everything that I might write can only occur in the past. Once we have crossed this border and are within the realm of notion and of conception, then there is nothing that is not the past, and nothing can happen except in the past. This may be why the words that we use to refer to "tales" take the same form as those words that we use to refer to "history."

To think that I can determine my actions by the decisions I make at this very moment, to imagine that this very moment itself is waiting in my mind, wanting to be substantialized is a delusion, I am sorry to say. There is nothing—as though the future had been consumed by some great past—nothing that just waits, entirely within my possession alone. Even the act of writing this is like adding a layer of gray paint to a painting of a gray

되는 글처럼 말이다.

그러나 도대체 회색빛이란 무엇인가. 예를 들자면 회색 옷을 입은 남자가 회색빛 축축한 아침에 회색빛 담을 따라 회색빛 거리를 지나가는데 그를 뒤따라가 길옆의 회색빛 운하에 슬쩍 밀어 넣어버리는 것이다. 아무런 소리도 없이 오직 회색 물방울 몇 개만으로…… 눈에 보이는 것은 달라지는 것이 아무것도 없으나 필연적으로 회색빛 남자는 운하에 밀어 넣어졌거나 혹은 밀어 넣어지지 않았다. 그 이외의 것은 모두 모순이 된다. 사람들은 그를 모른다. 아무도 그를 모른다. 운하에 밀어 넣어졌거나 혹은 밀어 넣어지지 않은 회색빛을. 시간 혹은 과거에 대해서 글을 쓰는 것은 그런 그림과 같다. 회색빛 붓으로, 회색빛 남자, 회색빛 담, 회색빛 포도, 회색빛 운하, 회색빛 안개…… 그것은 일상적인 분명한 감각이나 논증할 수 있는 문장이나 고전 물리학에 대한 저항에서 시작된다. 글을 쓰고 있으면 과거는 미래보다 더욱 분명히 미지의 것이 되어갔다. 혹은 글을 쓰는 그 순간은 과거나 미래와 전혀 분리되지 못했다.

죄의식에 대해서 잠시 다시 이야기한다. 지나간 시간이 그 내용과 관계없이 결국은 수치이자 죄의식일 수밖

man, dressed in gray, against a gray background. Or like a story that begins: "A man in gray clothing walks along next to a gray wall, in the early morning of a foggy day in June, of the year..."

But what is this gray color, anyway? On a wet, gray morning, for example, as a man dressed in gray passes through a gray street, walking along next to a gray wall, someone is following him, and inconspicuously pushes this man into a gray canal by the side of the road. No sound; only a splash of water, which is also gray...

So what is clear to the eye is that there is no change, and that this man in gray may have been pushed or may not have been pushed into that canal. And, except for this, everything would be contradictory. People do not know this man. No one knows him. Like some gray color, then, that was or was not pushed into a canal, writing about time or writing about the past is like this picture. A gray man, a gray wall, gray grapes, a gray ditch, a gray fog, with a gray brush... It starts with resistance to ordinary physical senses, or to some demonstrable phrase, or to classical physics. And as I write this, the past is sure to become less familiar than the future. And as I write this even this moment may

에 없다는 것을, 나는 나이 들어 늙게 되면서 비로소 깨우쳤다. 그것의 시작은 행복하다고 느껴보지 못했다는 인식에서 출발한다. 행복하지 못하다는 감정이 죄의식과 연결되는 것은 무언지 모를 막연한 자신의 과실로 인해 다시는 돌아오지 않을 어느 순간들을 그대로 헛되게 흘려보냈다는 과도하게 예민한 책임감에서 기인한다. 혹은 행복하지 못하다는 그 소심하게 겁먹은 비굴함의 원인이 바로 자신에게 있으리라는 지레짐작 때문이다. 내가 늙기 전에는 그것이 단지 개인사의 불행의 문제라고만 생각했다. 그러나 시간의 계단을 점점 더 많이 내려오면서 죄의식은 그 자체가 곧 과거의 보편적인 거울이라는 것을 알게 되었다. 심지어 개인적으로 가장 축복받은 어느 순간의 빛나는 기억조차도 그것이 과거의 것이 된 이상 수치나 죄의식일 수밖에 없는 어떤 것으로 변해버린다. 그 수치는 어리석음에 관한 것이고 무지와 경솔함에 대한 도덕적인 수치이며 필연적으로 자신과 세상에 대해 깊은 환멸과 회의로 종결된다. 수치의 쌍둥이이자 더욱 견고하고 지속적인 형태인 죄의식은 개인의 독특하고 개별적인 행위의 내적 결과가 아니다. 그것은 인간의 근원적인 감각기관에서 효소

lose its own distinct qualities, both in the past and in the future.

I will say a little more about my feelings of guilt. As I advanced through the years and passed into old age, I eventually came to realize how all those times that belong to our past are composed of nothing but shame and guilt, their specific contents notwithstanding. This began with a feeling, a realization that I had not been at all happy. And this feeling, this unhappiness, was connected to my guilt, which came of a too delicate sense of responsibility. Because of this sense of responsibility one might think that those irretrievable moments were spent in vain, wasted because of some fault of yours that you cannot remember and of which you are, thus, ignorant. Or, because you assume that you are the reason for your own fears, submissive attitude, and unhappiness.

Until I reached a certain age, it had been my belief that these were only the problems of the individual. As I took more steps down the stairs of time, though, I came to realize that guilt itself is the universal mirror of the past. Even those most happy moments, moments that might shine in memory, will become things of shame and guilt once they

처럼 비밀스럽게 분비되어 배출되는 일 없이 일생 동안 조금씩 쌓이는 매우 비선택적인 물질이다. 그러므로 인간이 일생 동안 어떤 윤리적인 판단의 기로에서 어떤 선택을 했다 할지라도 죄의식, 그것은 피해갈 수 있는 것이 아니다. 스스로 결백하다고 생각하는 사람들은 단지 그것을 받아들이는 감수성이 둔할 뿐이다. 아무런 외관상의 흠 하나 없는 인생을 살았다 할지라도 영원한 죄의식에 시달리다가 죽어간 사람들을 나는 알고 있는 듯하다. 예를 들자면 가난한 사람들. 어디에나 존재하는 가난하고 힘없는 사람들이 그것을 증명한다. 우리 눈에 보이는 가난한 사람들 말이다. 가난한 사람들을 처음으로 만나던 날을 나는 마치 내가 태어난 날처럼 분명히 기억하고 있다. 당시는 너무나 어려서 자신이 가난한지 그렇지 않은지 혹은 가난이 무엇의 상대적인 개념인지 가난이 종내 의미하는 것은 무엇인지 알지 못했으며 정작 가난한 것은 자신이 아닌가 의심해보지도 못했고 그리고 결정적으로 '가난'이란 단어를 내가 들어보았는지 혹은 알고 있었는지도 불확실한 상황이었다. 처음에 내 안에서 발생한 것은 동정심이 아니었고 나는 그들이 더럽다고 느꼈으며, 나아가서는 아무런 해를 끼

have become a part of the past.

This shame comes of folly. It is a moral shame, which one suffers for negligence and ignorance, and therefore, its result is a profound sense of disillusionment and skepticism of oneself and of the world. Guilt, whose form is both hard and enduring, and is the twin of shame, is not the internal effect of an individual's discrete and singular actions. A supremely undetectable substance originating from a human being's most fundamental sensory organ, guilt is an enzyme, covertly secreted, accumulating gradually and without release. So whatever people decide when faced with any of the moral dilemmas that occur throughout the course of their lives, guilt is something we cannot avoid.

People who consider themselves innocent are just too dull to realize these things. It occurs to me that I have known people who have lived faultless lives but suffered and died from perpetual guilt. Guilt over the poor, for example, the poor and the weak. These people exist everywhere, and they are proof of a guilt that cannot be avoided, the poor, whom we can see. I remember the day I first encountered the poor. I remember it like I remember my own birth. I was so young at that time I could

치지도 않았는데 그들을 경멸해야겠다는 생각이 문득 떠올랐다. 특히 그들 중에서 현저하게 허름한 옷을 입고 누르스름한 머리카락을 갖고 있는 내 또래의 여자아이들을 말이다. 물론 그것은 생각뿐이었고 곧 무서워진 나는 집 안으로 달아나버렸지만 그것이 나에게 떠오른 최초의 생각이었고, 지금까지도 그것에 대해 스스로를 전혀 용서할 수 없으며 지신이 소름끼친다는 점은 변함이 없다. 단지 고백하는 것으로 마음이 가벼워진다든가 죄악이 사라진다고는 생각하지 않는다. 그런 방법으로는, 커다란 항아리 속에서 메아리가 울려 퍼지면서 여기저기로 튕겨나가며 전달되는 것처럼 더욱 과장되고 부풀려진 채 그 고백이 한층 더 흉측한 모습을 하고 자신에게 다시 돌아올 수 있을 뿐이다. 간혹 사회적 변제의 행위로써 그러한 죄의식을 덜어보려는 시도가 행해짐을 알고 있다. 내가 가진 것은 모두 내던지고 앞으로의 남은 시간을 절대적 약자들을 위해 헌신하면서 사는 것이다. 그러나 나는 그 방법을 선택하지 못했다. 나는 의지 이전에 이루어지는 의식(意識), 그들을 경멸해야겠다, 는 즉각적이고 반사적인 감정에서 자유로워지지 못할 것이기 때문이었다. 죄의식이란 이렇듯 철저히 이기

not have said whether or not I myself was poor, or what the opposite of poor was, or what it meant, exactly, to be poor; I was not afraid that I might be poor and, finally, I am not even sure that I had ever even heard the word before. Well, what I felt first was not compassion; rather, I just felt a sense of their filthiness, accompanied by the sudden thought: I have to despise them, even though they have done nothing to hurt me. I felt this especially against girls my own age, girls in ragged clothes and whose hair was yellowed.

Of course, this was only a thought. I was frightened, then, and fled home, but that was the first thought that came into my head. I cannot forgive myself for it, even now, and I have not really changed in my temperaments and judgment. I feel like I am a terrible person.

Mere confession, I think, cannot make one feel better or make one's sin disappear. If we do employ this method, the confession itself may return to us in a form that is even more monstrous, magnified, and exaggerated, like an echo ringing through a great jar, projected and ringing off the walls.

Some attempt to reduce their guilt through acts

적이고 개인적인 자아를 위해서 발생하며, 그 자체는 숭고한 이상이나 도덕적 결벽과 아무런 관련이 없고, 그래서 휴머니즘이나 종교적인 헌신과도 무관하고 타인과의 접촉을 통해서 단지 사정없이 증폭될 수 있을 뿐이다.

그런 식의 관점으로는 인간의 육식 습관도 마찬가지이다. 이것에 대해서 깊은 죄의식을 가지고 있는 사람들을 나는 빈번하게 만나곤 했다. 그들은 혀를 즐겁게 하거나 단백질을 얻기 위해서 고기를 먹은 다음에는 죄의식 때문에 우울해지곤 했다. 내가 함께 살고 있는 채식주의자 친구는 만일 실수로라도 고기를 먹었다면 자신을 매질하는 방법을 썼다. 그는 반드시 아무것도 없는 골방에 들어가서 단 한 번의 신음 소리도 밖으로 내뱉지 않으려고 애쓰면서 가혹하게 자신을 벌했는데, 자신이 골방으로 들어가기 전에 미리 말러(Mahler)를 크게 틀어 놓는 버릇이 있었다. 나는 그를 떠나는 것을 망설였는데, 하느님 맙소사, 지금 계산해보니 벌써 이 년 반도 넘게 망설이고만 있었다. 그는 스무 살 이전까지는 채식주의자가 아니었는데 그것 때문에 언제나 괴로워했다. 즉 과거로 인한 죄의식을 가지고 있었다. 무슨

of social reparation—letting go of all worldly possessions and devoting the rest of their lives to the weak. I have not, however, chosen that path. That idea, "I must despise these people," is automatic. I cannot liberate myself from this mentality, which came into being before my will. Unrelated to noble ideals or to moral purity, guilt arises from the individual and from the perfectly selfish ego. It has nothing to do with humanitarian or religious devotion. And, in our contact with others, it is merely magnified, perhaps to an extreme degree.

We can see this in our sense of guilt for eating meat. I have frequently met people who have felt a profound sense of guilt regarding this habit. They would eat the meat, taking pleasure in the taste and the nutrients it provides. But, afterwards, they would feel guilty, and fall into a state of depression.

A friend whom I live with now is a vegetarian, and the method he uses to manage his guilt is to whip himself for consuming any meat, even meat consumed by mistake. He goes into a small room, a room completely devoid of anything at all, and he punishes himself harshly, making an effort to muffle his groans. Also, it is his custom to put on some

방법으로도 그는 그런 죄의식에서 자유로워질 수 없었으며 쾌락을 위해서 동물을 도살하고 식용의 가치를 높이기 위해서 살아 있는 순간도 학대하며 사육하는 인간의 생태를 아무렇지도 않은 마음으로 스쳐 지나갈 수는 없었다. 겉으로 드러내지는 않았으나, 그는 인간을, 그러한 생태를 가진 인간 자체를 깊이 혐오하고 있었다. 그러나 혐오 또한 살생과 마찬가지의 악덕이 아닌가. 단순하고 무지한 백성을 일깨우기 위한 현자의 말씀에 따르면, 네 가까운 이웃을 사랑하지 못하면 어찌 다른 것을 사랑할 수 있겠느냐고 했다. 그가 가진 생명에 대한 절대적인 경외심은 그의 종족의 식생과 마찰을 일으켰고 다시 불꽃을 튀기면서 그의 과거의 식욕과 마찰을 일으켰다. 마찰은 증오와 과도한 혐오를 낳았다. 어떤 사람들은 다시 반복해서 말한다. 가까이 있는 존재들을 사랑하지 못하면 천상을 향한 그리움이 다 무엇이더란 말이냐. 맨 처음에 그 말을 한 사람은 아마도 인간은 결코 가까이 있는 존재를 사랑하지 못할 것임을 잘 알고 있었을 것이다. 그리하여 그 계명은 수행자들의 발목을 지상에 묶고 출발선에서 단 한 발자국도 더 이상 나아가지 못하게 만들었을 것이다. 가난하고 굶주리며 수없

Mahler when he does this, playing it loudly before entering this little room.

I was about to leave him, to move from our shared home, but I hesitated and—well, my gosh—making the calculations right now, I have been hesitating for more than two and a half years now. Well, this friend of mine hadn't been a vegetarian before turning twenty, and he was tormented by his sense of guilt because of that. In other words, he has this sense of guilt over his past. And there is no chance that he can free himself from it. Nor will he be able to just move on, to find eating meat insignificant, this human ecology where animals are killed for our enjoyment, and where animals even grow up abused so that they will be more valuable as food. He won't show it, but my friend hates human beings.

But isn't hatred a sin, similar to murder? A wise person, wishing to awaken the simple and the ignorant, once asked, "How can you love others, if you cannot love your own neighbor, those right next to you?" My friend's absolute reverence for life created friction between himself and his own race, and, as sparks flew, created a conflict between himself and his own former appetites. This friction

는 지상의 고통 속에서 신음하는 인간에 대한 연민과 관용 없이 어찌 다른 생명의 절대적 신성함을 의식할 수 있을 것이냐. 그의 입장은 한때 곤혹스러웠다. 그가 인간을 사랑하지 않음을 숨기지 않았기 때문에 더욱 그러했다. 그리하여 그의 죄의식은 이중적이었다. 그는 잔인한 종족의 일원이었고, 그들은 세상에 존재하는 생명을 해치는 것을 고급한 쾌락으로 생각하는 종족이었다. 미각이나 스포츠, 수집, 상류 계층의 상징이 되는 고급 사치품을 만든다는 명목으로 말이다. 생명이 얼마나 유일한 것인지에 대해서 의식하지 않고 죽음과 고통과 영원한 소멸에 대한 공포가 그 자신만의 것이 아니라는 사실을 인정하지 못하는 사람들이었다. 접시 위의 핏물이 밴 스테이크는 자신의 넓적다리 살을 그대로 베어놓은 것과 신의 저울 위에서는 하등 다르지 않음을 눈치채지 못하는 무감각한 사람들이었다. 단지 미각에 대한 고급 취향을 만족시켜준다는 이유로 짐승의 살을 먹을 수 있는 자는 사람의 살 또한 먹을 수 있으며 더욱 싱싱하고 달콤한 것을 위해서 돈을 지불하는 자는 다른 것도 기꺼이 지불할 것이다. 매일매일은 쾌락을 위한 죽임의 향연이며 부유한 자들은 그 피와 살점의 더미

bred hatred and excessive revulsion. "If you cannot love those around you, what is the point of yearning for heaven?" People have said this or something like it again and again. The person who said it first must have known very well that humans could never love those around them. This admonition, then, ought to have kept the disciples' feet on the ground, preventing them from taking that first step before they even got started. "Without tolerance and compassion for the millions of people who are poor and hungry, suffering the pains of the world, how can one feel this absolute holiness for other kinds of life?"

My friend was quite embarrassed about his position. And he felt even more embarrassed because he made no attempt to hide his lack of love for humanity. His feelings of guilt were two-fold. He was a member of a cruel tribe, a tribe who regarded the destruction of life as the highest form of pleasure, destroying life to produce first rate luxury items, symbols of the upper classes, items for the gourmand, for athletic leisure, and for collection. These are people who do not recognize how unique life is, and refuse to admit that the fear of death, of pain and of permanent extinction do not

속으로 손가락을 넣어 가장 맛있고 연하며 건강에도 좋은 싱싱한 부위를 골라 찢어내어 입으로 가져간 다음 그 맛을 즐기면서 미소를 지었고 가난한 자들은 그 둘레에 모여들어 찌꺼기라도 얻기 위해 요란하게 헐떡거렸으며 행여나 운이 좋아 자기 몫의 한 점이라도 얻을 수 있다면 부유한 자들을 흉내 내어 같은 모양으로 입맛을 다시고 쩝쩝거리는 소리를 커다랗게 합창했다. 고통과 죽음, 그런 것 따위는, 자신의 것이 아니기만 하다면, 혀의 향락 앞에서 아무래도 좋은 것인 양 말이다. 먹이를 사냥하고 그것의 목을 따버리는 행위를 스스로 하지만 않았다면, 인간은 죽음—살해당하는 죽음—에 대해서 아무런 책임이 없다면서 죽음의 축제에서 미쳐 날뛰는 자신을 간단하게 부인할 수 있다. 그러나 그는 그럴 수 없었으며 눈에 보이는 모든 것이, 지상의 모든 축제가, 여자와 아이들의 미소가 추악한 걸신(乞神)의 그것이었으며—오, 어떻게 나머지를 모두 설명할 수 있으리, 절망적인 죄책감의 구토증이 너무나 심해 사람들을 모아 회합을 열고 연설을 하고 그들이 알아들을 수 있게, 혹은 조금이라도 수긍할 수 있게 고기를 먹는 것이 비효율적이며 건강에 좋을 것이 없다는 식의 설명을 하

belong only to ourselves. They are people who are so insensitive that they fail to notice that, on the scales of the gods, a bloody steak on a plate is essentially no different from the flesh of one's own severed thigh.

Anyone who can eat the flesh of an animal, just because it satisfies his or her palate, is also capable of eating human flesh. Anyone who will pay money so that their things will be fresher and sweeter will be willing to pay for other things as well. Day after day, it's a feast of death for pleasure, and the rich put their fingers into that pile of flesh and blood, and they choose the freshest parts, the softest and most delicious parts, the parts that will provide the most sustenance for the body. They tear off these parts, they put them into their mouths, and they smile and savor the taste. And the poor, panting noisily, gather around them for scraps, and, if they are lucky, get a little for themselves. They smack their lips, imitating the manners of the rich, and chomp away, clamorous, as if they were singing in chorus.

To them, pain and death are acceptable, as long as they are not our own and for the pleasure of our tongue. If we don't hunt this meat ourselves, if we

고(그렇다면 효율적이고 건강에 좋다면 그것을 위한 고통과 죽음이 아무것도 아닌 것이 될 수 있단 말인가?) 팸플릿을 나누어 주는 낯간지러운 행위조차도 그는 할 수 없었다. 또한 그가 그런 종족에 의해 태어나고 고기를 먹으면서 성장했으며, 그럼에도 불구하고 마침내 그가 자신의 삶을 스스로 선택할 만큼 성숙해진 다음에는 동족의 잔인성과 자신의 나약함 때문에 분노하고 절망하며, 그러한 동시에 그렇게밖에는 살아갈 수 없다고 고집하는 종족의 무지와 탐욕 앞에 증오심을 갖는 것에 대해서, 자신이 악덕—자신에게 고귀한 생명을 준 존재들이기도 한 가장 가까이 있는 사람들에 대한 관용이 부족한 것—에 대해서 또 다른 죄의식을 느꼈다.

언젠가 한번 그는 자신이 느끼는 죄의식에 대해서 길게 이야기해주었는데, 그것이 지극히 개인적인 것이고 세상의 표면에서 결정적인 역할을 하지 않는 것이며 어느 누구도 자신의 그 문제에 대해서 심각하게 생각하지 않고 하등의 영향을 받지 않는 것이기 때문에 더욱 치명적으로 궁지에 몰리는 꼴이라고 설명했다. 만일 그가 잔인하고 비참한 전쟁을 일으키기로 최종 결정한 독재자였거나, 한 도시를 송두리째 몰살시킨 명령을 내린

don't actually slit the throat, we human beings can claim that we are not responsible for all this death —death by murder—and can easily deny having lost our minds at the feast of death.

However, my friend is not capable of this, and all he can see in every festival on earth, in every smile of every woman and every child, is the horrible smile of a ravenous demon. Oh, how could he explain what he felt? Even the thought of explaining it, while his own guilt hopelessly eats away at him, made him feel nauseated. No, he could never call people together for a convention, he could never make a speech that would explain, in a way that would allow people to understand or to even give some small assent, how the consumption of meat is neither efficient nor healthy. (As if the death would impute nothing, if it were for efficiency and health?) He wouldn't be able to even so much as distribute pamphlets about the matter.

He was born into this tribe and he grew up eating meat. And even when he achieved sufficient maturity and was finally able to make his own decisions about his life, he still felt anger and despair over his tribe's cruelty and his own impotence. He felt guilt for hating his own tribe for their ignorance

장군이었거나, 반란한 노예들을 산 채로 불태워 죽인 주인이라고 하면 이처럼 지독하게 근원적인 죄의식에 시달리지는 않으리라는 것이다. 다른 사람의 생사나 운명을 결정하고 한쪽을 불행에 빠뜨리고 다른 한쪽을 선택하는 입장에 서는 것은 어차피 공인된 유죄의 자리이며 역사의 공리성에 관한 문제이므로 단지 그것을 인정하고 받아들이기만 하면 되는 것이다. 극단적으로 말해서 그럴 경우 그는 죄의식을 느끼지 않을 것이다. 그러나 육식의 문제와 그것에 기인한 증오의 문제는 그 자신의 표현에 의하면 '거대한 선험'을 요구하는 일이기 때문에, 수치적 윤리가 아닌 구토증의 윤리이고 존재의 주체가 아닌 존재 자체를 위한 것이며 그것으로 인해서 누구도 그를 법정에 세우지 않을 것이고 심판하지도 않을 것이기에 더욱 그를 두렵게 만드는 것이다. 시간이 지나갈수록 그가 죄의식을 매질하고 죄의식이 그를 매질했다. 그러면서 그는 점점 더 사람들에게서 멀어져갔다.

이십몇 년 전 어느 짧은 시기 동안 나는 나보다 나이가 네 살 정도 많은 한 여자에게 깊이 빠졌는데 그 이름은 수미라고 했다. 당시 나는 에스페란토어를 가르치는

and their avarice, insistent that they could not live otherwise. And he felt additional guilt because of his lack of tolerance for the people closest to him and who gave him life.

He once spoke at length to me about this sense of guilt and he said it was a very private matter that had no decisive, superficial role in anyone else's life. No one would give his problem any serious thought or be affected by it. But it was like being driven to death, or into a corner.

If he had been a dictator whose absolute mandate had been to wage a campaign of war and devastation, or a general giving orders to massacre an entire city, or a master burning rebellious slaves alive, he would not have been wracked by that original guilt to this extent. Making decisions that would determine the deaths, the lives and the destinies of others, or being in a situation where one must determine who will suffer and who will not is to be in a position where one has already committed a crime. The issue here would depend only on the public's perception of it, as it is with history. All you would need is to admit your guilt and accept your responsibility.

In those instances, if I may exaggerate, he would

학원에 다니고 있었는데 같은 클래스에 두 명의 미국인 학생이 있었다. 그중의 한 명이 수미의 남자친구인 얼이었다. 언제부턴가 얼은 수업에 여자친구인 수미를 데리고 왔다. 수미는 내가 몰입할 수 있었던 최초의 사람이었다. 내가 수미에게 빠진 것은 그녀의 외모가 아름다웠기 때문이었다. 그녀는 큰 키였으나 전혀 부피감을 주지 않는 가늘고 버드나무 같은 몸매를 가졌다. 얼굴은 갸름하고 좀 긴 편이었고 머리카락은 몹시 윤기 나는 검은빛이었는데 목덜미를 살짝 덮는 길이였다. 피부는 매끈하게 희고 눈은 가늘고 길게 찢어졌다. 그녀의 외모의 첫인상은 여자고등학교의 연극축제에서 남자 주인공 역할을 맡아 하는, 어느 정도 중성적인 표정의 아름답고 흰 얼굴에 키가 크고 팔다리가 길고 날씬한 소녀의 인상이었다. 그녀가 아름답지 않았다면 나는 그녀에 대해서 아무런 기억을 갖고 있지 않았을 것이다. 그때 수업을 같이 들었던 다른 여자들에 대해서는 처음부터 끝까지 거의 아무런 기억도 없으니 말이다. 나는 수미와 직접적으로는 단 한마디도 대화를 나누어보지 못했다. 수미가 처음 클래스에 나타난 날은 비가 내렸다. 내가 최초로 본 것은 노란 우산 아래 드러난 수미의

not feel guilty. The problem of eating meat and the contempt it caused were, in the words of my friend, matters of an "enormous innate quality." The problem of eating meat did not concern a morality of finite numbers, but a morality of instinct, of an inherent sickness. It was about one's being and not about one's agency. But this was not something for which he would be judged in court, which made the horror he suffered over it even greater. Time passed; he had beaten his guilt and his guilt had beaten him. In this way, gradually, he became isolated.

More than twenty years ago, for a short period, I was in love with a girl who was four years my senior and whose name was Su-mi. At the time I was going to an educational center that offered a course in Esperanto. There were two Americans in my class. One of them, Earl, was Su-mi's boyfriend. At some point, Earl started bringing Su-mi to class with him. Su-mi was the first person who thoroughly captivated me. The reason I fell for Su-mi was her beauty. She was tall, but her body was thin, like a willow tree that gave no impression of volume. Her face was small, though rather long,

뒷모습이었다. 수미는 비가 내림에도 불구하고 허리를 잘록하게 조이는 엷은 천으로 된 길고 풍성한 스커트를 입고 굽이 낮으며 리본이 달린 고전적인 모양의 구두를 신고 있었다. 그리고 수미가 몸을 돌리자 손수건을 쥐고 있는 흰 손이 드러났다. 수미는 다른 한 손으로 얼의 팔을 잡고 있었다. 그들은 우산 아래서 무엇인가 서로 이야기하고 있었고 나는 수미의 얼굴을 볼 수 없었으나 단지 그 뒷모습만으로도 수미에게서 시선을 뗄 수 없었다. 당시 학교에서 아이들에게 숭배의 대상이 되고 있는 아름다움은 단연코 패션잡지 『논노』에 나오는 일본의 십대 혼혈 모델들이었으며 나는 그 이외의 다른 아름다움에 대해서는 본 바가 없었으나 수미가 가지고 있던 아름다움은 그것들과는 분명히 다른 어떤 것임을 알아차렸다. 이상한 점 한 가지는 클래스의 다른 사람들은 모두 수미의 아름다움에 대해서 상당히 둔감했다는 것이다. 심지어 그들은 수미가 전혀 아름답지 않거나 놀랍게도 도리어 못생겼다고 생각하는 사람들조차 있었다. 눈이 가늘고 눈두덩이 너무 두꺼워서 침울하고 심술궂어 보인다거나 입술 양끝이 처졌다거나 허리가 길고 몸매가 빈약하다거나 말을 할 때 발음이 샌다거나

and her hair, which just covered the back of her neck, was a very glossy black. Her skin had a smooth, white pallor, and her eyes were narrow and cut rather long. Her looks gave one the impression that she looked like a girl in a male role in a girls' high school theatrical piece, one of those androgynous girls, tall and thin, with long arms and legs and a beautiful pale face. Had she not been so beautiful, I would not remember her. Of the other girls in that class, from my first day to my last, I have no memory whatsoever. I never did speak with Su-mi directly.

On the first day Su-mi appeared in class, it was raining. The first view I caught of her was from behind, as she appeared beneath a yellow umbrella. Although it was raining, Su-mi was wearing a long, ample flowing skirt, tight around the waist and made of some thin material. Her shoes were of a classic fashion, and they had ribbons. When she turned around, her white hand appeared, holding a handkerchief. With her other hand, she held Earl's arm. They were talking to each other under the umbrella, and I could not see her face, but even only from behind, I could not take my eyes off of her.

코가 지나치게 뾰족하다든가 하는 이유를 들어서 수미가 아름답다는 내 의견에 동조하지 않았다. 수미는 클래스에서 다른 사람들과 거의 말을 하지 않았기 때문에 무척 도도하게 보인 것이 결정적으로 그녀의 외모에 대해서도 좋지 않은 평가가 내려지게 된 원인일 것이다. 그러나 나는 여전히 수미에게 매혹되어 있었고 수미는 대학생인데다가 그토록 아름다운데 나는 겨우 뻣뻣한 직물로 된 교복이나 입고 다니는 신세였으니 좀 비참한 기분이 들었다. 아마 수미에게 호의를 가지고 있던 것은 내가 유일했을 것이다. 수미는 영문학을 전공한다고 했으나 얼과 대화를 나누는 것을 보면 연속된 두 단어 이상의 영어를 구사하지도 못했으며 그것을 지켜본 어느 사람이 그 장면은 마치 수화를 나누는 것 같았다고 나중에 우리들에게 들려주었다. 물론 과장된 표현이기는 했으나 그렇게 잠시 동안 수미는 비웃음의 대상이 되기도 했다. 나는 수업시간에 수미의 등이 보이는 곳에 앉았다. 수미가 어떤 옷을 입었는지, 얼과 어떤 식으로 이야기를 나누는지, 어떻게 연필을 돌리는지, 휴식시간에 커피 판매대 앞에서 우연히 마주치게 되면 어떤 얼굴을 하는지, 그런 점들을 남몰래 관찰했다. 그러나

The kind of beauty that was in vogue at the time was the kind seen in mixed ancestry Japanese teen models, the kind featured in fashion magazines like *Non-no*. And while I idealized those kinds of looks myself, I could tell that the beauty Su-mi possessed was something else, something that was decidedly different. It was odd, then, how the people in that class were quite oblivious to her beauty. They actually found nothing beautiful about her at all. There were even some who, to my surprise, thought she was ugly. They said that her eyes were narrow, and that too much of them were covered by her eyelids, which made her look either sad or mean. They said the ends of her lips sank too low, that her waist was too long, that her frame was gaunt, that she spoke with a lisp, that her nose was too sharp. They did not agree with my opinion that she was beautiful. Su-mi seldom spoke to anyone in class, so she did seem a bit haughty, and this may be the reason, after all, for the poor opinions people had of her.

Still, I was attracted to her and I was miserable. Su-mi was beautiful and a college student, while I was just going around dressed in the stiff cloth of a high school uniform. Maybe I was the only one

정작 수미가 나와 정면으로 눈이 마주친다든지 하면 나는 당황해서 얼른 눈을 돌려버렸다. 내가 기껏해야 바보처럼 보일 수 있을 뿐이란 확신이 강했기 때문에 나는 수미에게 자신을 드러내는 행동을 극도로 삼갔다. 그러나 내 감정은 거기까지였다. 나는 구름 속을 산책하고 있었으며 그것만으로 만족하는 몽상가의 자세를 버리지 않았다. 그러므로 어느 날부터 수미가 클래스에 나타나지 않게 되었을 때 나는 감히 얼에게 그녀의 안부를 물을 엄두조차 내지 못했다.

사실 에스페란토어는 그녀에게 별 흥미 없었을 가능성이 많았다. 수업 중에 그녀의 태도는 시종일관 심드렁했기 때문이다. 그 후 얼마간 시간이 지나고 나는 더 이상 그 클래스에 나가지 않았다. 정기적으로 가르치는 교사도 없었고 또 배우겠다는 학생도 몇 명 되지 않았기 때문에 그 클래스는 자연스럽게 곧 해체되었다고 들었다. 이 년 뒤, 나는 대학에 들어갔다. 그리고 대학 졸업을 눈앞에 두었을 즈음 그 에스페란토어 클래스의 한 사람을 우연히 만난 적이 있었다. 그는 당시 명동의 구두 상점에서 근무하는 판매 직원이었는데 집으로 돌아가는 길에 시내에서 우연히 만나 함께 커피를 마시게

who had a positive view of Su-mi. Su-mi's major was English, but when she spoke with Earl she could not make a sentence of more than two consecutive words, and someone told us later that they had seemed to use sign language to communicate. This, of course, was an exaggeration. But for some time she was more an object of scorn and laughter.

During class, I would sit where I could see the back of Su-mi. I also watched her in secret. I wanted to know what kinds of clothes she wore, how she communicated with Earl, how she twirled her pencil, and what kinds of faces she made when she ran into me in front of the coffee stand during break. If her eyes ever looked straight at me and met my own, though, I would panic and divert my attention immediately. I was certain that I would look only like a fool at best, so I tried hard not to make myself conspicuous to her. My heart was only so large.

I walked in the clouds. My attitude was that of a dreamer—I was satisfied having only that much—and I would not cast my idealized visions away. So when, from a certain day on, Su-mi no longer appeared in class, I did not dare consider asking Earl how she had been doing.

된 것이다. 그가 전해준 바에 의하면, 얼의 여자친구였던 '나무인형처럼 마르고 표정이 없던 대학생'—그는 수미의 이름을 끝까지 기억하지 못했다—이 유명했던 비행기 사고로 죽었다는 것이다. 내가 대학생이 되기 전해에 있었던 소련에 의한 여객기 격추사고를 말하는 것이었다. 수미가 그 비행기에 타고 있다가 사고를 당했고 얼은 함께 있지 않았다고 했다. 그는 클래스의 또 다른 미국인 학생이었던 프랜시스와 그 이후에도 간간이 소식을 주고받았는데 프랜시스가 미국으로 돌아간 다음 프랜시스의 직장 동료를 통해서 그 소식을 전해 들었다고 했다. 그때 이미 나는 수미나 에스페란토어 클래스에 대해서 깡그리 잊고 있었다. 시간이 많이 지나기도 했지만 무엇보다도 나이를 먹었고 스스로 생각하기에 에스페란토어 따위와는 비교도 되지 않을 그럴듯한 책도 읽었고 그리고 어쩌면 졸업을 하고 대학원에 진학하거나 혹은 결혼을 할지도 모르는 입장에 있었던 것이다. 나날이 개선되는 새로운 생활과 매력적인 자극들은 지나간 시절의 일들을 하찮게 보이게 했고 심지어 부끄럽게 만들기도 했다. 그것은 일생을 관통하는 죄의식으로 형상화되기 이전의 일상적인 감상이었다. 그 당

In fact, it was more than likely that Su-mi had had no real interest in Esperanto. She had always been apathetic in class, from her first day to her last. Afterwards, after a little more time had passed, I also stopped attending class. I heard later that the class had eventually dissolved because there was no regular teacher and few interested students. Two years later, I entered college. And then, when graduation was just upon me, I happened to run into an old Esperanto classmate. He was now a sales person at a shoe store in the Myeongdong district. He was on his way home when we met by chance downtown and we decided to get some coffee together. After catching up for a little while, he told me that Earl's girlfriend, "that college student who was so thin, like a wooden doll, that girl who never had any expression on her face," the one whose name that classmate was not able, even by the time we finished our coffee, to remember, had died in a much publicized airplane crash. This was the one that had been shot down by the U.S.S.R. It had occurred a year before I became a college student.

The classmate said that Su-mi had been on the airplane and that Earl had not been with her. The

시 막연하게 다시 되살려본 수미는 처음의 인상처럼 그다지 아름답지도 않았고 신비스럽지도 않아서 굳이 기억의 대상이 되지도 못했던 것이다. 수미를 독특하게 아름답다고 생각했던 것은 내 경험의 빈곤함과 정신의 미성숙 때문일 거라고 지레짐작하고 있었다. 그렇다고 수미가 전혀 아름답지 않았다고 하는 것은 아마도 거짓이 될 터이나 아름다움이 스스로의 목소리로 그 이름을 불러줄 정도의 존재는 아니었으며 오디세우스를 집으로 돌아오게 하는 시적인 힘이 아니라 기껏해야 혈기왕성한 동네 젊은 남자들을 몇 번 정도 뒤돌아보게 하는 역할밖에 하지 못하는 그런 종류의 아름다움이라고 평가한 것이다. 왜냐하면 대학에 들어간 이후 나는 간혹 육체와 정신 모두가 놀랄 만큼 매혹적인 여자들과 마주치는 경험을 했기 때문이다. 그런 경험들은 내가 한때 탄복했던 수미의 아름다움이 사실은 그다지 유일한 것은 아니었다는 평가를 내리게 만들었고, 시간이 지나면서 구체적인 수미의 인상은 사라지고 그다지 뛰어나지 못했던 그녀의 지적인 면만이 기억 속에서 부각되었기 때문이다. 나를 사로잡았던 여자들 중에서도 특히 나를 근원적으로 매료시킨 여자들은 모두 내가 개인

classmate and Francis, the other American student in that class, had been occasionally exchanging news with each other even after the class had ended. When Francis had gone back to the U.S., he let this guy know the news he heard from one of his colleagues.

At that time, I had already forgotten all about Su-mi and the Esperanto class. That had all been so long before and moreover, I was older now, I had read some pretty good books, ones that Esperanto could not be compared to, and after graduation, there was a chance that I might try getting into graduate school, or perhaps, I would get married. New lives, improving every day, and new stimulation transform the events of the past, making them trivial or even shameful. This is an ordinary phenomenon, one that occurs before it turns to that guilt that endures throughout one's life.

Well, in my vague recollection of Su-mi, she now no longer possessed the beauty or mystery of those first impressions. She never became an object I reminisced over. If I had thought that Su-mi was especially beautiful, this was because of the poverty of my experiences, and my imagination's immaturity. And yet, it would have been a lie to say

적으로는 잘 알지 못하거나, 혹은 단지 몇 번 의례적으로 스쳐 지나갔을 뿐이며 심지어는 이름조차 알지 못하는 미지의 존재인 경우가 많았다. 그것은 나에게 아름다움이란 친밀과 교제의 대상이 아니라 단지 관조의 대상이며 또한 오직 그렇게 남아 있을 때만이 불변의 가치를 발휘한다는 것을 확실히 알게 해주었다. 그들은 일단 말수가 적다는 공통점을 갖고 있었다. 적어도 나는 불친절하게 보일 정도로 과묵하며, 친밀한 교제를 귀찮게 생각하고, 별다른 취미를 갖고 있지 않고, 일반적인 예상과는 달리 소극적이고 밋밋한 일상을 살고 있으며, 세속적인 인기나 소문에 초연한 듯이 행동하는 여자들에게 몹시 빨려들어갔다. 나 역시 한 번도, 심지어는 절대적으로 외로웠을 때라도 그녀들에게 의도적으로 가까이 다가가려고 한다거나 친해지고 싶은 욕망을 조금이라도 나타낸 적이 없었다. 그녀들은 지나치게 완벽한 것으로 보였으므로 가까이 다가갔을 때 혹시 그 완벽함이 허물어지게 되는 것을 두려워한 까닭이다. 그리고 어쩌면 상당히 현실적이면서도 확실하다고 할 수 있는 이유로는, 거절당할지도 모른다는 두려움 때문이기도 했다. 대개의 경우 그들은 남모르는 추종자들을

that she had not been beautiful at all. So I assessed her beauty not as that which would declare itself as such by name, and not as having that poetic power that would have compelled Odysseus to return home, but as a beauty that would prompt several looks from the vigorous young men of the neighborhood.

After going to college I gained more experience; I met young women who were both physically and mentally remarkably attractive. With these experiences, I had to evaluate the beauty that I had once admired in Su-mi. I found that it wasn't exceptional. The details of those first impressions faded away with time, while only her less than brilliant intellect stood out in my memories. Among the women who attracted me, the ones who fascinated me the most were those I did not personally know very well, whom I would only pass now and then, acknowledging them politely. In some cases, I did not even know their names. In other words, they were practically unknown to me.

Thus, I came to clearly understand beauty not as anything that I could approach, or something that I could have any relationship with, but as an object to contemplate. Only if it remained in this state

거느리고 있는 경우가 많았으며 심지어는 남자친구를 갖고 있기도 했기 때문이다. 그들은 별다른 노력 없이 주변의 관심과 애정을 모으는 것처럼 보였고 스스로 원하지 않았다 할지라도 어쨌든 자연스럽게 모든 경우에서 매우 유리한 입장이 되곤 하는 것을 목격해왔다. 그런 그들이 어느 모로 보나 평범하기 짝이 없는 나를 진지하게 생각하지 않을 것은 분명했기 때문이다. 그러나 만일 설사 나에게 그들과의 교제가 허락되는 꿈같은 일이 일어났다고 해도 내가 과연 기꺼이 그것을 받아들였을지 자신이 없다. 나는 은밀하게 스쳐 지나가는 비밀스러운 두근거림을 그런 상태 그대로 놓아두는 편을 택했을 것이다. 마치 처음에 수미에게 매혹당하면서 그랬던 것처럼 말이다.

그렇게 기억 속에서 사라져버린 수미였지만 그녀가 죽었다는 화제는 일상적인 것은 아니었기 때문에 좀 충격적이었다. 나보다 나이가 많기는 했으나 죽기에는 터무니없이 젊은 나이였기 때문이었다. 만일 그러기에 적당한 나이라는 것이 존재한다면 말이다. 그러나 그 충격이라는 것은 말도 안 되는 농담을 들었을 때와 같이 비현실적이었다. 잘 알지 못하는 사람이 죽었다는 기사

would its eternal quality remain disclosed. Not talking much was among the characteristics many of these beautiful girls had in common. I was, in any case, extremely attracted to girls who were so reserved that they appeared unfriendly. Girls who considered close relationships a nuisance, who had no hobbies of any kind, who remained passive through lives of steady, quotidian routine, in opposition to general expectations, and who carried themselves in a way that suggested that they considered themselves above common popularity and gossip. I never made any deliberate attempt to approach any of them. Not even when I was truly lonely, or when I wanted to reveal to them any desires that I might have had to be close with them. They all looked beyond perfect; I was afraid that if I got near them I might destroy that perfection. And yes, it may be that the real reason, the reason that I really never approached them, was the fear of rejection.

For most of these girls, they had secret admirers. Some of them even had boyfriends. They seemed to attract both interest and affection from the people around them without much effort. I noticed that, even if it were not their intentions, they were

를 신문에서 읽었을 때와 비슷한 감정으로, 그 감정은 비극적이라기보다는 단지 드라마틱할 뿐이었다. 우리는 그때 수미의 남자친구였던 얼에 대해서도 기억을 되살려 몇 마디 이야기를 나누었는데 나뿐 아니라 그의 생각에도 얼은 무례하고 무신경한 사람이었다. 그것은 얼이 원래 무례하고 무신경한 행동을 의도해서가 아니라 단지 매사에 성의가 없고 대상을 이해하려는 시도를 게을리하는 천성에다가 무엇보다도 타인이 자신과 다를 것이라고 전제하는 부분에서는 항상 경솔해지는 안이함 때문이었다. 얼이 외국인이고 우리들의 문화에 익숙하지 않다는 점을 감안하더라도, 확실히 좀 부족했다. 그래서 당시 우리들 대부분은 수미뿐 아니라 얼도 좋아하지 않았다. 그러나 우리의 대화는 금방 끊어지고 말았다. 우리는 수미를 개인적으로 거의 몰랐으며 이미 죽은 사람에 대해서, 그리고 어쨌든 여자친구가 죽는 비극을 당한 얼에 대해서도 비난하는 투의 말을 늘어놓고 싶지는 않았기 때문이었다. 소문은 잘못되는 경우가 많기 때문에, 나중에 수미가 사실은 죽은 것이 아니라고 알았다 해도 나는 그다지 놀라지 않았을 것이다. 수미는 나에게서 먼 사람이었고 내 피나 살과는 상당한

always just naturally in positions of great favor, in almost every situation. Being so ordinary, I was sure they would not have thought of me as very much. Even if I could realize that dream to go out with any one of them, I am not sure I would have gone through with it. I might have chosen to leave my heartbeat to go on with its furtive passing, in its own secret state, as it was. Just as I had done with Su-mi.

Well, Su-mi had disappeared from my memory in this way, but the news of her death was no ordinary news. I was a bit shocked. She had been older than me, but she was too young to die—that is, if there is any age at which death is acceptable. This shock, though, had a rather fantastic quality, like a joke that makes no sense. You might have a similar feeling when you read in the newspaper that someone you didn't know personally has died. Your feelings are significant, but not devastating.

And so my classmate and I reminisced and talked a little about Su-mi's boyfriend, Earl. He had seemed rude and callous to my classmate as well as to myself. It was not that Earl had been rude or callous on purpose, but he was never serious about anything. He was too lazy by nature to un-

거리가 있으니 나는 '그녀는 죽었거나 아니면 살아 있으며 그 이외의 것은 모두 다 모순이다' 하고 장난스러운 명제를 만들어낼 수도 있었으리라. 그래서 이십 년도 더 지나서 어느 저녁 어스름에 수미를 다시 만나게 되었을 때 나는 그다지 놀라지는 않았다. 수미가 문제의 그 비행기에 탔다는 것은 세상에서 흔한 잘못된 소문이었고, 사실이 아니었다.

이미 나는 수미에게 전혀 애정을 갖고 있지 않았고, 또한 수미 자신도 과거의 시간에서처럼 내게 돋보이는 존재가 아니었기 때문에 모른 척하고 아무런 인사도 없이 그냥 지나치기를 바랐다. 혹은 수미가 이미 이 세상의 수많은 다른 사람들과 너무나 다르지 않았기 때문에, 그들보다 더 나쁜 편도 아니었기 때문에 굳이 의도적으로 모른 척해야 하는 수고를 할 필요가 있을까 생각하기도 했다. 아마도 내가 그 순간 수미를, 그 존재를 처음 만나는 상황이었다면, 오래전처럼 다시 수미에게 관심을 가졌을지도 모르는 일이다. 수미가 아름다우며, 내가 수미를 모르며, 그녀는 말수가 적어 내가 그녀와 대화를 나누어본 적도 없으며, 그녀는 백조같이 우아한 몸매를 가졌고 사물에 대해서 초연한 태도를 취하고 마

derstand the point of things. But, most of all, because of his casual manner he had a tendency to be negligent. He just assumed that everyone was different from himself. He was a foreigner, but even if we were to take this into consideration, along with any lack of familiarity he might have had with our culture, he still lacked some quality that would have made it easier for us to get along with him. So most of us had not liked Earl as most of my classmates had not liked Su-mi.

Our conversation soon fell off. We hardly knew anything about Su-mi. We were not inclined to speak of someone who had died, and we had no wish to say anything critical about Earl who, at all events, had still tragically lost a girlfriend.

There are, however, many cases in which rumors turn out to be wrong, so I would not have been surprised to discover that Su-mi had not actually died. And as Su-mi had been such a distant person, and so far removed from my own life, I could have suggested this in a humorous way, saying "She might be alive, and she might be dead, and anything else would be a contradiction." And so then, when I did meet Su-mi, one evening more than twenty years later, I was not too surprised.

치 검소하고 단조로운 식탁 같은 표정을 유지하고 있으며, 그것은 미지의 죄의식과 무관하지 않고 취미를 가지고 있지 않고 그녀의 시간은 그녀의 치마 속 다리처럼 드러나지 않으며, 욕망이나 열정을 전혀 가지고 있지 않은 것처럼 행동하며, 혹은 그렇게 보이며, 그녀는 불친절하며, 타인의 행동을 탐색하지 않으며, 질문이 없으며, 관심이 없으며, 그 모든 것이 여전하기 때문에. 하지만 지금 나는 수미에게 애정이 없을 뿐만 아니라 수미라는 존재 자체가 나에게는 이미 충분히 수치스러운 것이었다. 그것은 과거에 하찮은 것에게 마음을 빼앗겼다는 가벼운 분노 때문이었는데 그런 성급한 분노를 미리 차용함으로써 나는 수미가 나에게 전혀 관심이 없었다는 사실을 간과해버릴 수 있었다. 나는 아무런 말도 없이 수미를 관찰했다. 수미는 그다지 변하지 않았으며, 사실은 하나도 변하지 않았다고 하는 편이 더 알맞을 듯했다. 수미는 여전히 나에게 말을 걸지 않았고 다른 방향을 보고 앉아 있었다. 처음에 수미는 나를 기억하지 못했다. 수미의 침묵과 외면은 나를 점점 더 당황하게 만들었다. 수미가 나를 기억하지 못한다고 짐작하면서도 나는 조심스럽게 수미의 주변에서 머뭇거

The report of Su-mi being on that plane had been a false rumor, which is a very common thing in this world.

I was already without any affection for her, and Su-mi herself was not as brilliant a being as I had once thought. I was hoping that she would just move on, and we would not acknowledge or greet each other. Also, because the person she had become was essentially no different from so many of the people of this world, and since she was no worse than anyone else, I wondered if it was really necessary for me to make any effort to ignore Su-mi. It is possible that I might have been attracted to her, had I met her at that moment for the first time.

As she had been many years earlier, this Su-mi was beautiful and I would not have known her. Su-mi seldom spoke, so I hadn't really spoken with her previously. She did have a graceful figure, like that of a swan. She seemed indifferent to things in general. She maintained an expression like a plain, simple table—which is not unrelated to unknown guilt.

Su-mi had had no hobbies. Nothing on her schedule showed any activities any more than her legs showed under her skirt. She acted as if she

렸다. 나는 만일 가능하다면 자존심을 회복하기 위해서, 수미가 나에 대해서 그렇게 느끼는 것과 마찬가지로 나 또한 수미를 별다르지 않게 생각한다는 것을 증명해 보이고 싶었다. 그러면서 동시에 그것이 얼마나 하찮고 천박한 정서인지 스스로 알아차리고는 마음이 창백하게 얼어붙었다.

나는 먼저 수미에게 말을 걸었다. 사실은 그럴 마음이 조금도 없었다. 그리고 수미에게 내가 비밀스럽게 생각하고 있는 일들에 대해서, 내 죄의식에 대해서 가벼운 고백을 했는데, 그것도 사실은 당연하게도 그럴 이유가 조금도 없는 것이며 그럴 마음도 전혀 없던 것이었다. 그리고 의례적인 인사처럼 들리게 수미의 외모를 칭찬했으며—왜 그랬는지는 전혀 알 수 없는 일이다. 단지 유일한 이유가 있다면 그것이 진심이 아니었기 때문이다—굳이 그럴 필요가 없는데 수미가 마신 커피 값을 대신 계산해주기도 했다. 나는 그렇게 하도록 강요당하지도 않았고 수미에게 잘 보이려는 마음도 없으며 수미에게 하등의 호감도 가지고 있지 않았는데도 말이다. 도리어 나는 진정으로 그녀를 마음속 깊이 경멸하고 있었으며 덧붙여 말하자면 솔직히 굳이 경멸할 만큼이나

had no desire or passion. She was not friendly. She was not inquisitive, she would not look into what others did. She did not ask questions. She had no interests. In everything she was still the same as ever.

But I did not have any affection for Su-mi now, and her existence itself was shameful enough for me. I was a little upset at having been attracted by something of so little importance. And, building off this sudden anger, I was able to ignore the fact that Su-mi was not interested in me at all. Without saying a word, I watched her. She had not changed much. Or, it may be more accurate to say that she had not changed at all. Still not talking to me, Su-mi sat there, looking off in another direction. She did not remember me, not at first. Because of her silence, and because she was ignoring me, I grew increasingly agitated. I assumed she did not remember me, and yet I continued to linger near her cautiously. If possible, I needed to prove that I did not regard Su-mi as anything special in order to regain my self-respect. And thus engaged, I realized at that moment just how low and how cheap these feelings were, and my heart went pale and froze.

의미 있는 존재라고도 생각하지 않았고 적절하고 멋진 기회가 생긴다면 짧고 애매하게 우롱해주고 싶은 희망 정도를 가지고 있을 뿐이었다. 시간이 흐를수록 처음에 내가 가졌던 당황함은 점차 내 안에서 해석 가능한 자신감으로 바뀌었다. 나는 여전히 수미에게 친절하게 대해주고 있고 수미는 그런 나에게 조금도 관심 없이 행동하지만 말이다. 왜냐하면 수미는 일생 동안 그랬던 것처럼 아무런 테크닉 없이 자신의 마음을 그대로 숨김 없이 드러냄으로써 쾌감을 느끼고 있을 터지만, 반대로 나는 내 마음을 단지 숨기는 것이 아니라 도리어 정반대로 표현해냄으로써, 그것을 절대로 수미가 알지 못하게 하는 방법으로, 혹은 수미가 거기까지 눈치채더라도 더욱 당당하게 나는 수미에게 내 마음을 결코 그대로 표현해주지 않는다는 노골적인 메시지를 포함해서 전달함으로써, 쾌감을 느낄 수 있기 때문이었다. 그런 식의 관계에 대한 욕구가 밀려왔으므로 순간적으로 나는 수미와의 교제를 다시(만일 이렇게 표현할 수 있다면) 시작하고 싶은 마음까지 들 정도였다.

내가 예상했던 것처럼 수미는 나를 경계하지 않았다. 왜냐하면 그녀에게 나는 한때 그녀의 외모에 마음을 빼

I ended up speaking to Su-mi first. Actually, I had had no intention of doing this. Without any reason, and with no such intention, I made a small confession to her about thoughts I had had in secret, and about my guilt. And then, as if to make what might be considered a proper greeting, I praised her looks—I don't know why I did. If I had a reason for it, it must have been that this was not what I had actually been thinking. I even paid for her coffee, though I didn't need to do this, either.

I wasn't being forced, I had no intention of gaining her favor, and I wasn't even interested in her. On the contrary, I truly despised her, deep within my heart. If I can sincerely add on to that, I knew her existence was not so significant as to warrant resentment. I only wanted the right moment and some miraculous opportunity to arise that would allow me to mock her in some short, ambiguous way. As time passed, my initial embarrassment was transformed into a confidence, a confidence I can analyze right now.

I was still quite friendly towards Su-mi, while she acted like she had no interest in me. But while Su-mi derived her joy from opening her heart to the world, without falsehood or artifice, just as she had

앗긴 약자처럼 보였을 것이고, 지금에 와서도 그 관계가 크게 달라진 것 같지 않기 때문이었다. 수미는 자신의 옆에 앉아 있던 왜소하고 하얀 얼굴을 한 병약한 양아들을 나에게 소개시키기도 했으며 이십 년도 더 전에 자신이 어떻게 그 비행기를 타려다가 계획이 헝클어지는 바람에 타지 못했는가 하는 것에 대해서 나에게 들려주었다. 수미와 얼의 이야기는 이제 나에게 관심 밖의 일이었지만 그럴수록 나는 더욱 열심히 그 이야기를 들었다. 그러다가 수미가 나에게 왜 그 당시에 에스페란토어 학원의 클래스에서 자신에게 한마디도 말을 걸지 않았느냐고 물었다. 그러면서 덧붙이기를, 내 눈길만 보아도 내가 자기에게 매혹되어 있음을 잘 알 수 있었다고 했다. 게다가 놀라운 것은 클래스의 다른 몇몇 사람들이 내가 수미를 어떻게 생각하는지 직접 들었다면서 수미에게 일부러 말해주기도 했다는 것이다. 수미의 생각으로는 그런 감정을 공개적인 장소에서 떠들어댄다는 것은 경솔한 바보들이나 하는 짓이며, 그렇기에 자신은 그 말들을 그대로 다 믿지는 않는다고, 수미는 이런 것들을 전혀 오만하지 않은 말투로, 성급하지도 흥분하지도 않으면서 태연하고도 마치 지극히 당연한

done throughout her life, I would conceal mine, making a show of its antithesis, so that Su-mi would know absolutely nothing. And then, even if she did guess my heart's true intentions, I would make it obvious that I was not showing her my true feelings. My joy would come from this. Overwhelmed by a desire to communicate on these terms, I momentarily wanted to renew our relationship (if you could even call it that).

As expected, Su-mi did not have her guard up against me. To her, I must have seemed like a victim whose heart had once been stolen by her looks, and even now the relationship may not have seemed much different. She introduced her adopted son sitting next to her. He was underdeveloped and pale-faced. She told me how she had tried to board that plane, more than twenty years earlier, but how the plans had been botched and she had been unable to board. The story of Su-mi and Earl was now outside of my concern, but for this very reason, I listened to it with even greater enthusiasm. Su-mi asked me why I had never tried to talk to her in the days of the Esperanto class. And she went on to say that she had been able to tell, just by looking, that I had been attracted to her. Also,

것에 대해서 말하듯이 했다. 그러고는 내 대답을 기다리거나 궁금해하지도 않았다. 수치심에 휩싸인 채 그 자리에서 단숨에 그 사실을 부정하고 싶은 격렬한 충동이 일었으나 나는 그것을 억제했다. 아마도 그 순간 일어난 강한 유혹에 따라 '그것은 사실이 아니다, 나는 너를 심각하게 생각하지 않았으며 그때 나는 나보다 나이 어린 다른 소녀를 염두에 두고 있었다. 그 소녀는 마치 동화에서 금방 튀어나온 것처럼 어여뻤는데, 아쉽게도 그 감정은 오래 가지 않았다. 나는 좀 혼란되어 있었고 어느 정도는 상처받았기 때문에 그 이후로 내가 마음을 빼앗긴 소녀들과는 특히 거리를 두려고 하며 살아왔다. 거리를 두고 바라보는 것은 밤하늘의 달을 올려다보는 것과 같았다. 그곳에서 손이 무척 길고 날씬한 피아노 치는 여자, 그곳에서 그런 여자들을 그렇듯 멀리 바라보는 것에 익숙해지고 그것을 즐기게 되자 내 생활은 그림 속으로, 책 속으로 그리고 음악 속으로 그대로 옮겨간 듯해졌다. 나는 멀리서 나를 감상했다. 그 행위를, 그 모든 시선을, 피아노 치는 달 속의 여자들과 거리를 두고 멀리 앉아 말없이 있는 나를. 나는 지금도 나에게 그런 감정을 가르쳐주고 의도하지 않게 나를 훈련시킨

to my surprise, she had been told about how I had felt by other students in the class, who had said that they had heard this from me. But in her opinion, anyone who would make such noisy comments in public about their feelings was a crude person and a fool, so she had not believed everything that had been said to her.

She mentioned these things without any arrogance, without rushing, and without getting excited. She spoke in a composed manner, as if she were talking about something ordinary. And then she didn't seem to wait for my answer or even seem to wonder what it was. Absolutely humiliated, I was struck by a powerful temptation to deny it all right then and there, but I managed to control my impulses.

Had I obeyed the temptation, I would have said:

"It's not true. I never had any serious thoughts about you, and in those days I was interested in someone else, a younger girl. She was so pretty. She was like a girl straight out of a fairy tale. But, to my regret, my feelings did not last very long. I was a little confused and a little hurt. So, ever since then, I have tried to keep some distance from girls who steal my heart. Watching them from a distance

그 최초의 소녀에게 감사하는 마음을 가지고 있다. 비록 지금은 얼굴도 이름도 모르는 소녀지만 말이다. 그때 누군가가 너에게 내가 생각하는 그 소녀가 수미, 너라고 짐작하고 그렇게 말해주었다면, 그렇다 한들 그것이 지금 과연 무슨 대수란 말인가. 나는 그 소녀의 이름도 얼굴도 잊었다. 네 말대로 그것이 눈앞에 있는 바로 너라고 해도, 나는 전혀 기억할 수 없단 말이다' 하고 대답했다면, 적어도 그 순간은 긍지의 회복을 맛보았을 것이다. 그러나 나는 그러지 않았다. 나는 짧고 간단한 문장으로 내가 당시 그녀를 좋아한 것은 사실이며, 클래스의 몇몇 사람들에게 그 기분을 말 그대로 공개적인 장소에서 말했기 때문에 그들도 알고 있으며, 그래서 아마도 그들이 수미에게 가서 재미있어하며 알려주었을 것이고 그런 알려주는 행위들은 그 당시 유희로서 행해졌을 뿐이니 특별히 이상할 것도 없다고 말했다. 최초의 마음을 억누르고 정직하고 간단하게 이야기하고 나자 그것이 옳은 선택이었다는 확신이 들었다. 나는 수미에게 진심으로 행동하지 않았다. 혹은 그럴 필요를 느끼지 못했다. 내 태도는 일관되게 왜곡된 것이고 투명하지 못한 것이고 행위 이전이나 혹은 이후에

is like staring at the moon at night."

"There was a slender woman I used to watch. She had long fingers, and she played the piano, and I would watch her, as I have watched other women of that kind from a distance. And as I came to enjoy doing this, it seemed that the whole of my life had been transported, and was now inside of pictures, in books and within music. I was appreciating myself, from a distance, in that act, in every one of my gazes, in being distant myself, sitting in silence far from the woman playing the piano on the moon."

"I am still grateful to that first girl, the one who taught me to feel this way and who, without meaning to do so, trained me, though now I cannot recall either her face or her name. So someone must have assumed, back then, that the girl I had been thinking of had been you, Su-mi, as you were told. So what? I've forgotten the girl's name, and I've forgotten her face. So even if, as you said, it had been you, yourself, the one here before my eyes, I'm telling you I cannot remember this at all. Do you see?"

Had I made such a reply, I might have tasted what it was like to recover some of my pride—for a

계산된 것들이었다. 그럼에도 불구하고 수미의 질책 어린 질문에 대해서, 그 답변만은 솔직하게 말했다. 그것은 교활하게 미리 생각된 것이었는데, 수미가 그것을 사실로 받아들인다면 수미는 내 태도 전부를 사실로 순진하게 받아들이는 것이며, 혹은 수미가 그것을 거짓이라고 생각한다면 지금 수미에게 보내는 내 호의가 겉치레뿐이며 나아가서 속마음과는 완전히 대치되며 하나하나가 모욕을 목적으로 꾸며진 것임을 짐작할 수 있을 것이기 때문이었다. 결과가 어느 편이든 나에게는 전혀 상관없는 일이며 또한 어느 편이든 나에게는 유쾌할 수 있는 것이었다. 수미의 항변이 이어졌다. '개인적인 감정이란, 더구나 다른 사람이 개입되어 있는 경우에는 침묵하지 않는다면 그것은 정말로 품위 없고 경솔한 것이 되어버린다. 나 자신은 일생 동안 사람들의 입소문에서 가십처럼 불려지는 것을 몹시 싫어하여 나뿐 아니라 내가 알게 된 타인의 일도 결코 경솔하게 남에게 전달하지 않았다. 더구나 그때 너와 나는 아무런 접촉이 없는 상태였는데도 불구하고 사람들은 그렇게 믿지 않는 눈치였다. 네가 우리들의 일에 대해서 과장되게 상상을 심어준 탓이다. 나는 소문의 사실 여부를 떠나 일

moment, at least. However, I didn't say any of that. I just said yes, it was true, I had been fond of her at that time. I had mentioned how I had felt in public to a few others in the class, so they had known of it, and apparently they had gone to her and told her about it with some glee. Disclosure of this kind is often carried out as play, for amusement, so the idea did not seem especially strange.

Having suppressed my first impulses, I spoke honestly and briefly, and I was sure my decision had been right. I hadn't acted on my feelings towards Su-mi. Maybe I did not think it necessary. My attitude was consistent in its distortion and its obscurity, and all of my actions had been calculated, whether before or after I executed them. And yet, even then, my response to her chiding question had been made with great simplicity. I devised it in advance, and with strategy. To accept my response would be to naively believe my whole attitude was true, and if Su-mi found it false, she would have surmised that my kindness had been a façade. Furthermore, she would have thought that this façade of kindness had been intended as an affront, and that everything had been set in place to insult her. Neither result would have been any

단 그 대상이 되는 것 자체를 항상 불결하게 느껴왔다. 그래서 마음이 불쾌하여 더 이상 그 클래스에 가지 않았다.'

수미의 생각은 완벽한 것이었다. 그러고 나서 수미는 입을 다물고 다시 나와 눈이 마주치지 않는 먼 자세로 되돌아갔다. 나는 그때 수미를 멀고 낯설게 느꼈고 수미 또한 마찬가지였을 것이다. 그러나 수미가 지금보다 더 나에게 낯설지 않았던 적은 한 번도 없는 것이 사실이었다. 그리고 내가 일생 동안 살면서 지금의 수미보다 더 멀지 않게 느낀 사람 또한 한 명도 없으며, 수미 역시 그럴 것이란 생각이 머리에 떠올랐다. 수미는 결국 나를 비난하고 내 오류를 지적하면서 그것으로 인해 자신의 도덕성을 과시할 수 있는 시간을 가지게 되었으나 나는 그러지 못했다. 수미와 마찬가지로, 나 또한 타인들의 소문을 경멸했다. 수미와 다른 점이라면 수미는 자신의 입에서 나오는 말은 그 소문의 영역에서 제외시켰지만 나는 그러지 않았다는 점이다. 수미에게는 자신 이외의 사람들은 모두 타인이었으나 나는 바로 나 자신이 타인일지도 모름을 의심했다. 나는 어디에서나 진심을 말하면 그것이 곧 하찮은 소문이 되어 떠돌 것을 의

different from the other for me. Whatever the case, I would have been pleased.

Su-mi continued with her complaint. "One's personal feelings, in cases that involve other people, lose their dignity and weight if one does not handle them in silence. I abhor being called a gossip and I never tell my story or pass along the stories about other people without some care. You and I may have had no such contact, but no one seemed to believe that. And that's because of you, and all the notions you planted in their heads. Whatever the truth of those rumors, as the object of those rumors, I always felt dirty. That's what upset me, and that's why I quit going to that class."

Su-mi's opinion was exactly what it ought to have been. And then she closed her mouth and resumed her distant attitude, not meeting my eyes. I felt that Su-mi was off in the distance, and strange, and it must have been that she felt this herself. And it was true that there had never been a single moment when she had not seemed alien to me. Also, the idea that there had never been anyone in my whole life I had felt less distant to than Su-mi drifted into my head. I suppose she felt this, too.

In the end, Su-mi had the opportunity to parade

심했다. 사람의 진심이란 곧 하찮은 소문에 불과했다. 그러므로 하찮은 소문을 위해서, 반드시 진심이어야 할 필요도 없는 것이었다. 지금과 같은 순간에 내가 스스로를 변호하기 위해서 뭔가 해명한다면, 그것은 곧 세계의 실체를 이루는 거대한 소문의 일부가 되어 결코 잡을 수 없는 곳으로 빠르게 사라져갈 것이다. 아무도 그것에 대해서 알지 못하면서, 모든 사람들이 그것에 대해서 말할 것이다. 그리고 다른 면으로 본다면, 이십 년도 더 이전의 과거에 내가 수미에 대해서 사람들에게 말한 것은 전혀 진실이 아니었기 때문에, 그것은 남에게 말해지거나 혹은 비밀로 해야 할 어느 쪽으로도 하등의 가치가 없는 것이었다. 수미의 세계는 세탁소 다림질대 위에서 바싹 눌려 있는 셔츠처럼 단순하고 평이해서 누구에게나 금방 들통 나는 것임에도 불구하고 그 고고한 흰 빛만을 변함없이 뽐내고 있는 셈이다. 그러나 나는 여전히 대답하지 않고 수미에게 변함없는 감탄의 눈길을 보내고 있었다.

시간이 흐르자 수미는 나에게 아무런 작별의 인사를 건네지도 않은 채 양아들의 손을 잡고 자리에서 일어서서 밖으로 나갔다. 나는 빠른 걸음으로 수미의 뒤를 따

her morality about by critiquing me and correcting my faults. But I myself could not. I also despised, as Su-mi did, the rumors that people spread. The only difference between us was that Su-mi excluded her words from "rumors," while I could make no such exception for myself. To Su-mi, she herself was the sole exception, and everyone else was an "other." But I was afraid that I myself might actually be an "other." I was afraid that, if I were to talk about my true feelings, they would become vain rumors, spread all over.

Yes, that is what the true feelings of a human being are—mere rumors. And for the sake of mere rumors, truth is not necessary. Were I to make some explanation in order to justify myself, as I might have done at that moment, it would become just another piece of the great rumor that makes up all of reality, vanishing immediately into that place where it could never be apprehended. No one would know the facts, and yet, everyone would talk about them.

Seen in this way, what I'd said about Su-mi to those people more than twenty years ago wasn't true at all, and it would have signified nothing, whether I had or hadn't kept it a secret. Su-mi's

라갔다. 수미는 일정한 보폭으로 천천히 걸었고 내가 따라감을 알고 있었으나 뒤돌아보지 않았다. 그 이후로 우리는 어디에서나 함께였다. 내가 수미의 뒤를 따라가지 않으면, 수미가 내 뒤를 따라왔다. 비록 언제나 서너 걸음 정도의 거리를 두고는 있었으나 나는 내 생애 동안 유일하게 진정으로 유쾌한 시간을 보냈다. 내가 남몰래 빠져들어갔던 아름다움을 가진 여자들과 나는 단 한 번도 이렇게 가까이서 지내본 경험이 없었던 것이다. 지금 내가 수미를 예전처럼 그렇게 아름답다고 생각하지 않고 있음은 이 경우 아무런 의미가 없었다. 심지어 지금은 내가 수미를 전혀 사랑하지 않으며, 추하다고까지 생각하는 것조차도 의미가 없었으며 수미가 나를 하찮게 생각한다는 사실에도 관심이 없었다. 나는 기회가 닿으면 기꺼이 수미에게 복종의 자세를 취했다. 어느 순간에는 문장을 선택함에 있어서 내가 수미를 보고 있다, 라고 표현해야 하는지 아니면 수미가 나를 보고 있다, 라고 해야 하는지 반사적으로 어리둥절해지는 것을 경험하기도 했다. 나는 자신에게 그러는 것처럼 수미 또한 물질인 것처럼 인식했다. 수미는 언제나 어린 양아들과 함께 다녔다. 그 아이는 외모가 기형적일

world was so simple and clear, like a well-pressed shirt on the ironing board of a dry cleaning shop. It was easy for anyone to immediately understand Su-mi's world, and yet her world went on so proud, detached and white, unchanged. And still, I did not give her an answer, only the same unchanged look of admiration.

Time passed, and without even saying good-bye to me, Su-mi took her adopted son by the hand, got up from where she had been sitting, and left. I followed after her, taking quick steps. She walked slowly, with regular steps, and she knew that I was following her, but she never looked back. And afterwards, and ever since that moment, wherever we have been, we have always been together. If I am not following her, Su-mi is following me. Although there is always a distance of some three or four steps between us, this has truly been a fine time, the only one of my entire life.

Never have I had such an experience; not once had I ever been so close to any of those women I had secretly fallen for. I may not find Su-mi as beautiful as she had been, but that means nothing to me this time. These facts mean nothing. That I am not at all in love with her, now, and that I even

뿐만 아니라 목소리도 내지 못하는 듯했다. 수미는 점점 회색빛으로 변해갔으므로 다리 위에서 갑자기 나타난 수미를 알아보기 위해서는 보통 이상의 주의를 기울여야 할 때가 많았다. 내가 나의 채식주의자 친구와 함께 식사를 하기 위해 식당에 앉아 있을 때면 수미가 나타나 말없이 테이블에 와 앉았다. 이 글을 쓰고 있는 순간 나는 아직 수미를 다시 만나지 못했으나 이 모든 일들을 비행기 격추사고 소식을 들었던 1983년 가을날의 아침처럼 잘 기억했다. 나는 앞으로 몇 년 뒤 수미를 만나게 되었고 그것에 대해서 쓰게 되었을 터였다.

나와 수미와 채식주의자, 세 명은 한 식탁에 앉아 있었다. 우리들 세 명의 노인은 저녁으로 무엇을 먹을 것인지 이야기를 나누는 중이었다. 식탁에는 격자무늬의 노란 식탁보가 깔려 있었고 빵 바구니는 비어 있었다. 식탁은 창가에 자리 잡았고 창문은 활짝 열려서 늦여름의 저녁 바람이 불어왔다. 자동차의 무리가 지나가는 소리와 희미한 사이렌 소리가 바람 속에 섞여 돌아다녔다. 우리는 각자 고독하게 늙어갔으며 차가운 천성 때문에 주변에 가까운 사람을 남겨두지 못했다. 아니, 우

find her ugly does not matter. I do not care if she regards me as trivial. Whenever I have the chance, I willingly assume an obedient attitude.

Sometimes, as I form a sentence, I will even have an experience of wondering instinctively whether "I am looking at Su-mi," should be expressed as "Su-mi is looking at me." And just as I perceive myself as matter, so I perceive Su-mi in the same way. Su-mi always goes around in the company of her adopted son. This child's features are deformed, and it seems that he is not capable of vocalization. Su-mi herself is changing, becoming more and more of a gray color, so there have been many times when I had to pay close attention, or else I would not have recognized her as Su-mi, showing up suddenly on this bridge. And whenever I am sitting at a table in a restaurant, having come for a meal with my vegetarian friend, there is Su-mi, showing up without a word and sitting down next to me.

As I write this right now I remember all of these things very well. I remember it all as clearly as that morning in the fall of 1983, when I heard the news about that plane being shot down. Though I have not yet met Su-mi again, I will meet her a few

리는 지금 각자 혼자 있는 것이다. 혹은 우리들, 우리들 세 사람 중의 누군가 단 한 사람만이 이곳에 앉아 있는 것에 불과할 수도 있다. 그의 기억 속에서 우리의 의식이 노래하고 있으나 그것이 누구인지는 지금은 알 수 없으며 중요하지 않았다. 혹은 그렇지 않다면 이 식탁을 차지하고 있는 것은 비어 있는 빵 바구니와 바람의 영혼뿐이다. 열린 창으로 바람이 불어와 식탁보를 흔들고 주방에서 기름과 마늘 냄새가 풍겨오고 마치 영원히 그러할 것처럼 사이렌 소리와 자동차 소리가 멀리서 지속적으로 나지막하게 땅과 마음을 흔든다. 우리는 지금 자신의 기억 속에서 부유하는 환영을 느낀다. 혹은 그런 표정과 무게감이 없는 그림자들이 지금의 우리 자신을 기억하고 있다. 개인의 역사 중에서 타인이 차지하는 의미는 무엇일까. 타인은 과연 실재적인 것의 이름인가. 만일 그렇다면 그들은 왜 그토록 비밀스럽게 존재하여 모습을 드러내지 않는가. 타인이 존재하며 그들과 함께 이 세상을 살아왔다고 하는 것은 텔레비전의 선전이거나 종교의 광고 문안에 지나지 않을지도 모르는 일이다. 왜냐하면 우리는 모두 그들 타인을 일생 동안 단 한 번도 실제로는 만난 일이 없기 때문이다. 우리

years later, and write about it.

Su-mi, the vegetarian, myself, the three of us are all sitting at a table. The three of us old folks are having a discussion about what we will eat for dinner. A striped yellow tablecloth covers the table and the breadbasket is empty. The table is near a window, and, as the window is wide open, a late evening wind is blowing in. The sounds of cars passing and a faint sound of sirens circulate, mixed with the wind. In our old age we have all gotten lonely. We are cold by nature, and none of us have been able to allow anyone to get close to us. No, we are all by ourselves now. Or it may be that there is only one, one of the three of us, sitting here. And in that one person's memory, our consciousness is singing, but we cannot know who that one person is, and it is not important.

Or, it may be that the only things occupying this table are an empty breadbasket and the wind's soul. Wind blows in through the open window, ruffling the tablecloth. The aroma of oil and garlic emanates from the kitchen, and the sound of sirens and automobiles shakes the land and shakes the heart, on and on in a low continuous rumble, as if

는 정녕 타인과 손을 잡고 인사를 했으며 그들과 결혼하고 그들과 가족을 이루고 혹은 그들과 이별한 것인가. 설사 그 모든 것이 소문이 아닌 사실이었다고 해도 타인이 우리에게 무엇이었나. 그들은 아파도 울지 않고 총알이 뚫고 지나가도 피가 흐르지 않으며 공중에서 폭탄을 맞아도 진정으로 죽음을 경험하지 않고 공기처럼 흘러다니며 밤에도 잠들지 않는다. 혹은 그들이 피 흘리고 울부짖고 만원 지하철에서 바로 곁에 선 한여름 돼지처럼 땀을 흘리며 냄새를 풍기는 실제적인 존재라고 해도, 설사 그렇다고 해도, 우리가 본 것이 단순한 환영이 아니라고 해도, 그들이 이름을 가질 수 있을까. 타인이 정녕 애증의 대상이기나 한 것일까. 타인은 회색빛 옷을 입고 기묘한 모습으로 식탁 곁에 서 있으며 명령을 기다리고 주문을 받아 적은 다음 음식을 날라올 것이다. 나는 허기와는 상관없이 많이 먹을 마음의 준비가 되어 있었기 때문에 으깬 감자와 야채구이에 세 개의 달걀 프라이가 얹힌 것에 매운 소스로 볶은 국수가 추가된 요리를 주문했다. 수미는 아무런 추가 주문 없이 빵과 병아리 심장 수프를 시켰고 채식주의자는 쌀밥과 야채 커리를 먹겠다고 했다. 그 이후로 얼마나 많

it might last forever. What we feel floating in our memory now are phantoms. Or, our expressions remember ourselves, and shadows remember us, as we do in the present.

The meaning of the word, "others," what place does it occupy in the history of an individual? Is "others" the name of something that really exists? And if so, why do they exist so secretly, and seldom reveal who they are? It is possible that this fact, that "others" exist, and that we have been living with them, is nothing more than a television advertisement or promotional copy for some religion. Never have we ever actually met any "others," never in our entire lives. Have we ever actually shaken hands or exchanged greetings with any others, married and raised families with these others, separated from them? Even if everything were true, as opposed to a rumor, what are others to us? When they are sick, they do not cry. When they are shot through with bullets, they do not bleed. When they receive bombs from the sky, they do not experience actual death. They flow like air, and they never sleep, not even at night.

Or, what if, bleeding and crying, they are real, as they sweat and stink like pigs, standing next to us

은 시간이 지났는지 아무도 몰랐다. 이윽고 사람들은 아주 다른 것에 대해서 말하기 시작했으나 우리들은 아직도 주문한 저녁식사가 날라져올 것을 기다리고 앉아 있었다.

『훌』, 문학동네, 2006

on the subway on a hot summer day? And even if they are real, and even if what we see are not phantoms, can they hold this name? Can an "other" be an object of real love and real hatred? An other, dressed in gray, looking peculiar, stands at a table, waiting for the order and will, after writing the order down, bring the food. Independent of my appetite, I am ready to eat a lot, and so order a dish of mashed potatoes and fried vegetables covered with three fried eggs, and some noodles on the side, fried in hot sauce. Su-mi orders a soup of chicken hearts with bread and nothing else, and the vegetarian says that he will have rice and vegetarian curry. After that, no one knows how much time passes. Conversations about totally different things soon begin, but we are still sitting here waiting for the meal we ordered to come to us.

Translated by Chang Chung-hwa (Chloe Keast) and Andrew James Keast

해설

Afterword

과거와 타인은 어떻게 도래하는가

정은경 (문학평론가)

배수아의 소설은 쿤데라가 고찰한 바 있는 '생각하는 소설' 즉, '사색과 분석으로 이루어진 에세이가 어떻게 소설 예술에 예외적인 요소나 방해물이 아닌, 필수 요소로 작용할 수 있는가?'라는 물음에 대해 흥미로운 탐색을 보여준다. 『에세이스트의 책상』은 물론이거니와 단편집 『훌』, 그리고 그 시도의 극치인 『당나귀들』에 이르기까지, 단편 「회색 時」는 그중에서 시간 의식과 관련된 한 편의 아름다운 소설이다.

「회색 時」는 이렇게 시작한다.

아무런 특별한 이유도 없이, 과거의 어느 사소한 순간

How Do the Past and Others Arrive?

Jung Eun-kyoung (literary critic)

Bae Su-ah's novels and stories are thought-provoking attempts at answering the question: How can an essay composed of reflections and analyses—what Kundera called "thinking novel"—function not as an exceptional element, but as an integral part of novelistic art?" This is the case not only in her novel, *An Essayist's Desk*, but from her short story collection *Hul* to *Donkeys*, the culmination of her attempt of such a nature. Her short story, "Time in Gray," is a beautiful story about our consciousness of the nature of time.

"Time in Gray" begins,

이 생각날 때가 있다. 과거는 주로 미래의 한순간과 강하게 연결되는데, 예를 들자면 죽음이 떠오르면서 동시에 과거의 어느 한 장면이 자연스럽게, 그러나 아주 당연히 그래야만 한다고 주장하듯이 그 모습을 나타내는 것처럼 말이다. (「회색 時」, 『홀』, 문학동네, 2006, 29쪽)

위 문장에서 서술하고 있는 이 '문득 떠오른 과거의 사건'이 이 작품의 핵심 모티브이다. 여기에 대한 탐색이 그 뒤에 시간과 죄의식, 타인 등에 대한 성찰로 이어진다. 우선 이 과거의 '느닷없이 떠오름'(후설의 용어를 빌려 상기*라 하자)은 화자가 생각하기에 미래에 대한 예언이 아니라, 미래에 대한 갈망을 뜻한다는 것이다. 그래서 '미래는 과거의 예언'이 되는데, 이 수수께끼 같은 단상을 '수미'에 관한 이야기로 풀어간다. 쉽게 요약해 보자.

* 후설은 과거의 경험을 두 종류로 나눴다. 최근의 것을 '기억(retention: 되당김, 과거지향)', 먼 것을 '상기(recollection)'라 불렀다. 어떤 지각이 현재로부터 사라져갈 때 처음에는 기억이었다가 점점 상기로 되어 간다. 시간이 지나면 기억은 완전히 사위어들어 더 이상 직접적으로 주어지는 현재의 일부이기를 그친다. 그것을 다시 경험하고 싶다면 기억이 아니라 상기로서 재구성해야 한다.

Without any specific reason, some very trivial moment from out of the past may appear in one's mind. Strong associations with the past, composed of thoughts of the future, are common. So when death comes to mind, for example, the features of some particular scene from the past will make a natural appearance, as if this order were necessary ("Time in Gray," *Hul*, Munhakdongnae, 2006, 29).

This "very trivial moment from out of the past," which may appear "without any specific reason," is the key motif in this story. The story's exploration of this motif extends to the narrator's reflection on time, a "feeling of guilt," and "others (other people)." Above all, according to the narrator, this appearance of a past moment "without any specific reason"—let's call it a "recollection" according to Husserl's concept—is not a prediction of the future, but a wish for what we desire in it.* Therefore, the fu-

* Husserl divided our experience of recalling the past into two categories—calling the recall of recent memories "retention" and of older, crystalized memories "recollection." An experience becomes "retention" at first and then gradually changes into "recollection" when it disappears from the present. As time passes, retention disappears and stops being a part of the present. If we want to experience it again,

〈과거〉 20년 전 수미라는 여자에게 매혹되었다. 고백하지 못했다. 그 뒤에 비행기 사고로 죽었다는 얘기를 들었다.

〈현재〉 어느 날 문득 수미가 떠올랐다.

〈미래〉 우연히 그녀와 마주칠 것이다. 그녀에게 나는 진심을 숨기지 않을 것이고 그 뒤에 우리는 늘 함께 할 것이다.

위의 이탤릭체의 〈*미래*〉는 앞의 '과거—현재'가 의미하는 연속선상의 그런 의미의 미래가 아니다. 그것은 이 글의 화자가 과거 한때, 혹은 지금 '소망하는 미래'를 뜻한다. 그 소망의 내용은 "만일 언젠가 그녀와 다시 만난다면 과거처럼 어리석게 생각하거나 행동하지 말고 '멋지게' 해낼 것이다"이다. 그래서 이 이야기의 시간 흐름과 서술시제는 상식적으로는 잘 이해되지 않은 구성을 만들어 놓게 된다. 즉, 서사적 흐름을 놓고 보자면 이 소설은 정확히 〈현재〉—〈과거〉—〈현재(혹은 과거)에서 소망하는 미래)〉가 된다. 그런데 배수아는 이 마지막 〈현재(혹은 과거)에서 소망하는 미래)〉를 미래시제가 아니라 과거시제로 쓰고 있다. 그렇게 해서 수미에 관한

ture becomes what one might predict in the past. The narrator explains this enigmatic idea through the story of Su-mi. For example:

〈Past〉I was fascinated by Su-mi twenty years ago. I could not confess my feelings for her. I heard later that Su-mi died in a plane crash.

〈Present〉 Out of the blue, I remember Su-mi again.

〈Future〉 I will run into her some day. I will tell her the truth, and then we'll continue to be together.

The future here is not the future as an extension of the past and the present. It is the future the narrator "wished" for in the past or in the present. The implied intent of this wish is "If I meet her again someday, I will think and act suavely, unlike how I acted in the past, when I acted clumsily around her." As a result, the narrative flow and tense in this story has a rather unusual structure that is difficult to understand at a first glance. The structure of this story, then, is as follows: present→past→future that

we have to reconstruct it through recollection, not through retention.

두 번째 이야기는 '미래의 기억'이 되는 것이다. 그러니까 이 소설이 왜 이렇게 쓰일 수밖에 없게 되었는지를 설명하고 있는 것이 이 작품 도입부에 길게 서술된 에세이의 의미이다. 이 도입부에서 화자는 '시간이 지날수록 과거는 모호해지고 오히려 미래가 훨씬 더 구체적으로, 친숙하게 느껴진다.' 그렇기 때문에 과거를 '기록'하기보다는, 오히려 '미래'를 '기록'하는 것이 수월하다고 말하고 있는데, 이는 그만큼 과거에 대한 회환과 미래의 열망이 강렬해지고 있다는 것을 뜻한다. 이러한 성찰이 삽입되지 않았다면, 「회색 時」의 줄거리는 흔히 있을 수 있는 '이야기'에 불과한 것으로 오인되었을 것이다. 같은 맥락에서 '죄의식'과 '타인'에 관한 성찰도 '느닷없이 떠오름'이라는 모티브를 서사화하는 데 중요한 단서들을 제공하고 있다. 그 구체적인 내용을 도표를 통해 정리해보자.

I wish for now (or I wished for in the past). Also note-worthy here, the author adopts the past tense rather than the future tense for this last part. Thus, the second story about Su-mi becomes a "recollection of the future." The lengthy introductory essay in the story provides an explanation as to why this story has to be written this way. The narrator finds that the past becomes more and more insubstantial as time passes while the future becomes far more concrete and familiar. This makes it easier for the narrator to "record" the "future" rather than the past, which means that the narrator's past regrets and desires for the future become stronger. Without these reflections, "Time in Gray" could have been a very simple and ordinary story about a youthful crush.

Along these lines, the narrator's reflections on "the feeling of guilt" and "others" also offer important clues as to the motif of "unexpected recollection" was narrativized. The following is a formulaic table that illustrates this:

	A 과거→과거시제	B (소망하는) 미래→과거시제 (여기서는 미래시제로 바꾸었음)
a	20년 전 학원에서 만난 수미라는 여자에게 매혹되었다.	어스름한 저녁, 나는 그녀를 만날 것이다.
b	그녀는 차가운 성질을 지닌 미인이었다.	여전히 아름답고 어쩌면 양아들을 데리고 있을 것이다.
c	단 한마디도 못하고 남몰래 관찰했다.	이번엔 먼저 말을 걸 것이다. 커피 값도 내가 낼 것이다. 그 후 많은 아름다운 여자들을 경험해봤고 그녀를 잊었기 때문에 '자신감'을 가지고 행동할 수 있을 것이다.
d	바보처럼 보일 수 있을 뿐이라는 확신이 강했기 때문에 수미에게 자신을 드러내는 행동을 극도로 삼갔다.	다시 예전의 감정이 생길 것이고, 그녀가 그것을 어떻게 받아들이든 나는 거기에 솔직해질 것이다.
e	나는 그녀가 '나'의 감정을 모른다고 생각했다.	그녀는 학원의 다른 사람들로부터 내가 그녀 얘기를 들었고, 거기에 대해 알고 있었다고 말할 것이다. 나는 수치심 때문에 '그건 네가 아니라, 다른 여자에 관한 얘기였다'라고 말하고 싶어 하겠지만, 그러지 않을 것이다.
f	나는 다른 사람들에게 수미의 아름다움에 대해 얘기했다.	그녀가 힐난할지 모른다. 타인과 관련된 것에 관한 말을 함부로 해서는 안 되는 거라고, 그래서 불쾌해져서 학원에 나오지 않았다고 말할 것이다. 나는 거기에 침묵으로 동의할 것이다.

	A past→past tense	B future (wished for)→past tense (future tense in this table)
a	I was fascinated by Su-mi, whom I met twenty years ago at a class.	I'll meet her one evening.
b	She was a cold beauty.	She is still beautiful and she may have an adopted son.
c	I secretly watched her without once talking to her.	I'll talk to her first. I'll pay for the coffee. I'll be able to behave confidently, because I have met many beautiful women since and I have forgotten all about her.
d	I refrained from drawing attention from Su-mi because I was sure that I would make a fool of myself.	I will experience the same feelings, and I will be honest about them, whether she accepts them or not.
e	I thought she didn't know how I felt.	She will tell me that she heard about me from other students at the class and she knew about my feelings. I will feel embarrassed and will want to say that it was not her but another woman I had feelings for. But I won't.
f	I talked about Su-mi's beauty with other people.	She might criticize me for doing that. She might say that one should not randomly tell other people about someone else, and that she stopped going to the class because she was upset about it.

g	2년 뒤, 친구로부터 과거, 그녀가 비행기 사고로 죽었다는 소식을 들었다.	수미는 양아들의 손을 잡고 작별 인사도 없이 밖으로 나갈 것이다. 나는 뒤쫓아 갈 것이고, 그 이후로 우리는 어디에서나 함께 할 것이고, 내 생애 동안 유일하게 진정으로 유쾌한 시간을 보낼 것이다.
h	수미에 대해 깡그리 잊었다. 뿐만 아니라 "수미를 독특하게 아름답다고 생각했던 것은 내 경험의 빈곤함과 정신의 미성숙 때문일 거라고 지레짐작하고 있었다."	수미를 예전처럼 아름답다고 생각하지 않고 있음은 아무런 의미가 없다. 나는 기회가 닿으면 기꺼이 수미에게 복종의 자세를 취할 것이다.

위 도표에서 A와 B는 거울을 보듯 서로 마주 선 서사이다. "거울의 벽을 통해 미래는 과거의 예언이 되었다"라는 말은 바로 이렇듯 '과거 서사 A는 B의 모습을 비추고, B(현재적 소망)는 A의 모습을 드러나게 하는 거울이 된다'는 것을 의미한다. 이 거울은 물론 사실을 좌우로 바꿔서 비춘다. 그러나 A—B로의 이동은 소박한 소망 충족의 차원에서 이뤄지는 것이 아니다. 이 이동에는 소망 충족도 있지만, 주인공 '나'의 성격에서 비롯된 내적 저항과 수치, 반성 의식 등이 함께 작용하는데 그렇기 때문에 A보다 더 길게 서술되고 있는 B라는 상상공

g	Two years later, I heard from a friend that she had died in a plane crash.	Holding her adopted son's hand, Su-mi will leave without saying good-bye. I'll follow her and we'll then be together all the time. I'll enjoy the time of my life.
h	I have completely forgotten about Su-mi. Besides, I think, "If I had thought that Su-mi was especially beautiful, this was because of the poverty of my experiences, and the immaturity of my imagination."	It does not matter that I no longer think Su-mi is beautiful. I'll be willing to be submit to Su-mi if given the opportunity.

Columns A and B describe narratives that mirror each other. As stated in the sentence "The future, then, comes through the wall, the mirror, and it becomes a prophecy of the past." The past narrative A reflects B, and B (present wish) becomes a mirror that reveals A. This mirror, of course, reflects facts in reverse order from right to left. This movement between A and B does not happen on the simple plane of wish fulfillment. There is certainly the element of wish fulfillment, but there is more than that, because the narrator's feeling of guilt and introspective reflection that originates

간이 실감으로 작용하고 있는 것이다. 어떠한 반성적 성찰인가?

"시간의 계단을 점점 더 많이 내려오면서 죄의식은 그 자체가 곧 과거의 보편적인 거울이라는 것을 알게 되었다. 심지어 개인적으로 가장 축복받은 어느 순간의 빛나는 기억조차도 그것이 과거의 것이 된 이상 수치나 죄의식일 수밖에 없는 어떤 것으로 변해버린다."(13쪽)

"죄의식이란 이렇듯 철저히 이기적이고 개인적인 자아를 위해서 발생하며, 그 자체는 숭고한 이상이나 도덕적 결벽과 아무런 관련이 없고 (중략) 타인과의 접촉을 통해서 단지 사정없이 증폭될 수 있을 뿐이다."(14쪽)

위에서 작가는 어떤 찬란한 과거도 이미 없는 것이므로 '현재의 결핍'을 메울 수 없고 따라서 그것은 언제나 죄의식을 동반하게 만든다고 한다. 한편, 죄의식은 '하지 못한 일들'—가령 선행—에 대한 자기 합리화이며 개인주의의 소산이기도 한데, 그것은 타인과의 접촉에서 발생하는 것이라고 언급하고 있다. 즉 화자가 과거를 모호하게 느끼거나 거부하는 것, 그리고 타인과의 접촉

from his character are also part of it. This is why the imaginary space B, delivered in narratives mostly greater than in the real space A, feels so real. Then, what introspective reflection is being carried out here?

As I took more steps down the stairs of time, though, I came to realize that guilt itself is the universal mirror of the past. Even those happiest moments, moments that might shine in memory, will become things of shame and guilt once they have become a part of the past (13).

Unrelated to noble ideals or to moral purity, guilt arises from the individual and from the perfectly selfish ego... And, in our contact with others, it is merely magnified, perhaps to an extreme degree (14).

The narrator states in the first quotation that even the happiest moment in his past is necessarily accompanied by a feeling of guilt because it cannot fill the gap in the present. This feeling of guilt also comes from his feelings of selfishness and his rationalization of what he was unable to do—for ex-

을 꺼리는 것은 바로 이 '죄의식' 때문이라는 것이다. 그것의 극단적인 예를 작가는 채식주의 동료를 통해 보여주고 있다. (채식주의자는 화자의 또 하나의 분신이기도 하다) 이렇듯 꼬리에 꼬리를 무는 사색의 흐름은 결국 화자가 "그녀라는 '타인'과 왜 만나지 혹은 고백하지 못했는가?"라는 '후회'라는 정서에서부터 출발한다. 따라서 이 작품은 단순히 '수미'라는 한 인물에 대한 사랑의 서사가 아니라 '타인' 일반에 대한 사랑과 만남에 대한 에세이적 소설이라고 할 수 있다.

"개인의 역사 중에서 타인이 차지하는 의미는 무엇일까. 타인은 과연 실재적인 것의 이름인가. 만일 그렇다면 그들은 왜 그토록 비밀스럽게 존재하여 모습을 드러내지 않는가. 타인이 존재하며 그들과 함께 이 세상을 살아왔다고 하는 것은 텔레비전의 선전이거나 종교의 광고 문안에 지나지 않을지도 모르는 일이다. 왜냐하면 우리는 모두 그들 타인을 일생 동안 단 한 번도 실제로는 만난 일이 없기 때문이다. (중략) 그들은 아파도 울지 않고 총알이 뚫고 지나가도 피가 흐르지 않으며 공중에서 폭탄을 맞아도 진정으로 죽음을 경험하지 않고 공기

ample, more selfless, charitable deeds. This feeling of guilt is generated when he is in contact with others. In other words, it is because of this "feeling of guilt" that the narrator feels a sense of ambiguity or rejection towards his past and why he avoids contact with others. An extreme example of this is the narrator's vegetarian friend (in some sense, the narrator's alter ego). Ultimately, this continuous flow of reflections originates from the narrator's regrets about his inability to meet "the other," namely "the woman," or to confess his feelings to her. Thus, this story is not just a narrative of love for Su-mi, but an essay-like narrative about love and an encounter with "others" in general.

The meaning of the word, "others," what place does it occupy in the history of an individual? Is "others" the name of something that really exists? And if so, why do they exist so secretly, and seldom reveal who they are? It is possible that this fact, that "others" exist, and that we have been living with them, is nothing more than a television advertisement or promotional copy for some religion. Never have we ever actually met any "others," never in our entire lives... When they are sick, they

처럼 흘러 다니며 밤에도 잠들지 않는다. (중략) 단순한 환영이 아니라고 해도, 그들이 이름을 가질 수 있을까. 타인이 정녕 애증의 대상이기나 한 것일까. (34쪽)

이 마지막 문장들은 '수미'라는 한 실험적 실존에 대한 성찰이 빚어낸, 시적인 문장들이다. 위 글에서 독자는 '타인'을 '수미'라고 읽어도 좋지만, '과거'라고 읽어도 무방할 것이다. '도대체 과거라는 환영은 존재하기는 했던 것인가, 혹은 타인은 실재하는 것이란 말인가'라는 질문과 함께 다시 도표의 'B 서사'를 읽는다면, 비애감을 안고 '수미'를 따라가는 한 실존의 진지한 걸음을 느낄 수 있다.

do not cry. When they are shot through with bullets, they do not bleed. When they receive bombs from the sky, they do not experience actual death. They flow like air, and they never sleep, not even at night... And even if they are real, and even if what we see are not phantoms, can they hold this name? Can an "other" be an object of real love or real hatred (34)?

The final two very poetic sentences come from a reflection on the experimental existence of Su-mi. The reader may replace "others" with Su-mi or "the past." When we read narrative B from table above, asking ourselves if the phantom called the past really exists, or if anyone else really exists, we can feel the somber steps of a being that will always look for, and will always try to understand Su-mi.

비평의 목소리

Critical Acclaim

배수아의 소설을 읽다 보면 눈 내리는 밤의 편의점을 떠올리게 된다. 그 축소형 백화점 안에 서서 커피를 마시거나 라면을 먹는 어떤 존재의 모습이 대뜸 눈앞에 나타난다. 그는 동물원에서 막 탈출해 나온 '검은 늑대'처럼 몹시도 불안하고 쓸쓸해 보인다. 배수아는 고립된 배경 속에 떠돌고 있는, 도대체 아무도 주시하지 않는, 존재의 모습을 섬뜩하게 드러낸다. 마치 진흙 속에서 꿈틀거리고 있는 미꾸라지나 장어의 형물처럼, 그것은 곧 카오스의 슬픈, 너무나 비애로운 꿈틀거림이다.

윤대녕

For me, reading Bae Su-ah's stories brings to mind a convenience store on a snowy night. These images of someone drinking coffee or eating ramen noodles suddenly appear in front of my eyes. The person seems very anxious, or this person may be lonely; the person is a "black wolf" who has just escaped from a zoo. To these creatures, drifting through their solitude and noticed by no-one, Bae Su-ah grants astonishing appearances. Their forms suggest the shapes of leaches or eels, writhing in the mud; writhing, to be sure, with a wild sadness and with great sorrow.

Yoon Dae-nyung

배수아의 신작 소설《나는 이제 니가 지겨워》는 사랑의 환상을 깨부수는 시니컬한 담화로 가득 차 있다. 불꽃같은 사랑을 꿈꾸는 여성이라면 이 소설을 읽을 때 마음의 준비를 해야 할 것이다. 자조적이고도 신랄한 작가의 문체는 남녀관계의 속물성을 거침없이 폭로하기 때문이다. (…) 작가가 지향하는 것은 아무도 침범할 수 없는 밀폐된 개인성의 세계 그 자체이다. 달콤한 로맨스에 대한 가시 돋친 논평 뒤에는 고독한 삶에 대한 강렬한 찬사가 숨어 있다. 밀실의 고독은 감미롭고도 쓰라리다. 인스턴트식품으로 끼니를 때울지라도 홀로 있는 편이 행복하다. 주인공은 이른 아침 동물원을 산책하고 한밤중에 자동차로 고속도로를 질주하면서 절대 고독이 주는 쾌감을 느낀다.

백지연

배수아 소설은 단순한 키치로만 그치지 않는다. "모든 소설은 그것에 앞선 작품들에 대한 대답"이라는 밀란 쿤데라의 말처럼, 이 낯선 감수성의 감각화는 그것 자체로 암암리에 설정한 대문자로서의 '소설' 개념에 도전하는 새로운 미적 실천일 수도 있기 때문이다. 민족도,

Bae's new novel, *Sick of You*, is filled with cynical conversations that lay waste to idyllic notions of love. If you are a woman who dreams of fireworks in your love life, you'd better brace yourself before reading this. Without any hesitation, Bae's new story exposes the snobbism existing between men and women in relationships through her scathing tone, mocking herself with it as well... What the writer presents as an ideal is a sealed world that belongs only to the individual, a world that can be violated by no one. Bae both provides and conceals a caustic commentary on idyllic romance ultimately offering intense praises for more solitary life. The solitude of a secret room is sweet, though it is also painful. The heroine is happy to be alone, even if she is eating instant food every night. She takes walks to the zoo early in the morning and speeds down the highway in the middle of the night, and in this absolute solitude, she feels happy.

Baek Ji-yeon

Bae's fiction doesn't end as an example of simple kitsch. "Every story," according to Milan Kundera, "is a response to the previous one," and so it is that the very sensitization of this alien sensibility could

이데올로기도, 문학사적 전통도, 모두 비껴나가는 배수아의 소설은 철부지 어린아이가 본능적으로 어른의 위선을 넘어서는 것처럼, 그렇게, 딱딱하게 굳어진 소비사회의 표면을 가볍게 활공한다. 바로 이 순간 포스트모던 시대의 동화와 키치는 '소설'로 전화된다.

신수정

배수아가 창조한 주체성을 '내부망명자'의 그것이라 해도 틀리지 않을 것이다. 나는 그들이 걸어왔을 내면의 이력을 이렇게 짐작해본다. 그들은 1980년대를 애증병존의 양가적 심정으로 살아냈고, 1990년대를 환희도 환멸도 없이 냉정하게 통과하다가, 2000년대 이후 본격화된 한국 사회의 변화에 격렬한 거부감을 느끼게 됐을 것이다. 모든 종류의 집단과 전체가 강요하는 예속화를 거부하면서 자기 창조적 주체화를 실천하기를 원하지만, 위 인용문이 지적한 대로, 연대가 또 다른 집단주의를 낳을 수 있다는 경계심 탓에 다른 반대자들과 적절한 관계를 형성하는 것조차 거부하는, 그래서 결국은 고립될 수밖에 없는, 그러나 그 고립을 기꺼이 감당하는 주체들, 이런 주체성에 대한 평가는 다양할 수밖에

be the actions of a new aesthetic in implicit defiance of the concept of "fiction" itself. Just as children will instinctually overcome the hypocrisy of adults, these stories sail clear of the national and the ideological, and even of literary tradition; they glide above the surface of this hardened, capitalist society so geared towards consumption. The fairy tales and the kitsch of these post-modern times are, then, transformed at that very moment, and what they become is *fiction.*

Shin Su-jeong

One could describe the characters that Bae Su-ah creates as "seeking refuge in the interior." What follows are the conclusions I have drawn about the histories of these individuals who have accepted this interior world as their own. They lived through the 1980s ambivalently, their hearts caught between love and aversion. They were indifferent as they passed through the 1990s, without joy and without disillusion. And they must have felt extreme aversion to the changes in a Korean society whose progress became comprehensive in the 2000s. Each one wished to exercise his or her own creative identity but they objected to the restric-

없을 테지만, 적어도 나는, 때로 이 사회에 단 두 개의 주체성만이 존재하는 것처럼 느껴져 숨이 막힐 때 이런 생각을 한다. '배수아의 어떤 소설에서도 우리가 기대하는 희망의 말들을 찾을 수는 없다. 그러나 지금 여기에 배수아의 소설이 존재한다는 사실 자체가 하나의 희망이다.'

신형철

처음 배수아의 소설이 소설과 에세이 사이를 가로지르기 시작한 것은 그녀의 사적 현실이 속한 세계(베를린)와 그녀의 독자가 속한 세계(한국) 사이의 거대한 틈을 메꾸기 위한 시도였다고 한다면, 이제 에세이에서 다시 꿈의 세계로 이동하고 있는 것은 그녀의 비타협적인 고립주의가 그녀의 사적인 현실을 포함하여 현실 전체에 등을 돌린 징후로 파악할 수도 있을 것이다. (중략) 배수아는 굳게 닫힌 문틈으로 새어 들어오는 현실의 압력을 재료 삼아 길을 잃은 목소리들이 떠다니는 꿈의 세계를 짓고 있다. 그 세계는 경계 위에 지어진, 경계로 이루어진 세계이다. 언어 없는 목소리가 침묵과 함께 떠돌며, 현실과 꿈이 서로를 향해 녹아드는, 그곳은 막

tions imposed by each respective period's factions and by society as a whole And, because they were wary of solidarity, capable of producing collectiv-ism once again, they could not attempt suitable re-lationships with other dissidents and avoid their own isolation in the end. And yet, these isolated creatures handle their isolation readily. Although there will, of course, be different understandings of these characters, I myself feel as if the characters of our own society are all of only two kinds; I often feel as if I cannot breathe. And at those times, I think in this way: In Bae's fiction one can find none of the hopeful words we expect. But there is now a hope of some kind, in this, the existence of her stories."

Shin Hyeong-cheol

As Bae Su-ah's work began to move away from fiction and more in the direction of essays, it set out to give substance to the enormous void set between the world of her own personal reality in Berlin and the Korean world of her readers. Now, in Bae's essays, she is again turning back, back to-wards the world of dreams in a move that one could understand as a symptom of her resolute

다른 골목이며, 배수아는 그 막다른 골목에서 빠져나오려고 하는 대신 그 골목의 영역을 확장하는 것을 택했다. 이런 시도는 배수아를, 배수아의 글을 어디에 이르게 할 것인가. 예측할 수 없지만 한 가지 확실한 것은, 그녀가 향하는 곳은 우리가 한 번도 닿아본 적이 없는 곳일 것이라는 사실이다.

김사과

solitude and departure from reality, her own included... Taking as an ingredient the pressure of reality, which seeps into the cracks of even the most well sealed door, she constructs a world of dreams, a world through which lost voices drift. And this world, built along the borders of reality, is also fashioned from borders themselves. It is a place where reality and dream melt together, where a wordless voice wanders in silence, a dead end, a place where she has chosen to extend the alley's domain rather than to depart from it. By such endeavors, where might Bae and her work reach? It's hard to tell, but we can be sure that this destination will be a point we have never before attained.

Kim Sa-gwa

배수아

배수아는 1965년 서울에서 태어났다. 수업에는 흥미를 느끼지 못했고 혼자서 조용히 책을 읽는 것으로 고등학교 시절을 보낸 그녀는 1988년 이화여대 화학과를 졸업하면서 정규교육을 마친다. 1991년 나중에 데뷔작이 된 「사촌」을 쓰는데, 이 작품을 쓰게 된 계기는 컴퓨터 워드 연습을 하던 중에 머릿속에 떠오른 픽션을 그대로 타이핑하게 되었다는 것. 1992년부터 공무원 생활을 한다. 1993년 계간지《소설과 사상》의 신인 작가 작품 공모에 원고를 투고하여 데뷔하게 된다. 잡지사 측의 요구로 제목을「천구백팔십팔년의 어두운 방」으로 바꾸어 발표하게 된다. 그녀는 오랫동안 작가 생활과 직장생활을 병행하다가 2001년경부터 독일어를 공부하기 시작, 2002년에는 회사를 그만둔다. 그녀는 여러 번 독일에 체류하며 독일어를 배우고 독일어를 번역하는 작업도 하고 있다. 그녀의 독일 체험의 결실 중 하나가 최근 문단의 커다란 주목을 받았던 장편『에세이스트의 책상』이다. 소설집으로『푸른 사과가 있는 국도』(1995),

Bae Su-ah

Bae Su-ah was born in 1965 in Seoul. Unable to find much interest in her classes, she spent her high school years reading alone until her regular education ended with her B.S. in Chemistry from Ewha Womans University. In 1991, she wrote a short story entitled "My Cousin," with which she later made her literary debut. The story came to her while she was practicing typing on Microsoft Word. She typed the entire story in one sitting, writing it just as it came to her mind. She started working as a civil servant in 1992, and in 1993 she sent her "My Cousin" to a competition for new writers held by the quarterly, *Fiction and Ideas*, thus making her debut. The story was not released as "My Cousin," however, but published under the title, "A Dark Room in the Year 1998" instead, upon the publishing company's request. In addition to her burgeoning career as a writer, she continued to hold her job as a civil servant for some time, even learning German from 2002 onwards as well.

In 2002, Bae finally quit her job. She continued

『바람인형』(1996), 『심야통신』(1998), 『철수』(1998), 『그 사람의 첫사랑』(1999), 『홀』(2006), 『올빼미의 없음』(2010) 등이 있다. 장편소설로는, 『랩소디 인 블루』(1995), 『부주의한 사랑』(1996), 『붉은 손 클럽』(2000), 『나는 이제 니가 지겨워』(2000), 『이바나』(2002), 『동물원 킨트』(2002), 『일요일 스키야키 식당』(2003), 『에세이스트의 책상』(2003), 『독학자』(2004), 『당나귀들』(2005), 『북쪽 거실』(2009), 『서울의 낮은 언덕들』(2011), 『알려지지 않은 밤과 하루』(2013) 등이 있다. 에세이집으로 『내 안에 남자가 숨어있다』(2000), 번역서로는 마르틴 발저 『불안의 꽃』, 야콥 하인 『어쩌면 그곳은 아름다울지도』, 베르톨트 브레히트 『전쟁교본』, 에트가 힐젠라트 『나치와 이발사』, 샤데크 헤다야트의 『눈먼 부엉이』 등이 있다.

studying German and her studies of the German language eventually took her to Germany where she has stayed several times. Consequently, Bae's list of literary achievements now also includes translations of German literature into Korean. One of the most important fruits of Bae's time in Germany is the novel, *The Essayist's Desk*, which has been well received by the Korean literary world. Bae Su-ah's published works include the short story collections, *Highway With Green Apples* (1995), *Wind Doll* (1996), *Midnight Communication* (1998), *Cheol-su* (1998), *That Person's First Love* (1999), *Hul* (2006), and *There Are No Owls* (2010) and the novels, *Rhapsody in Blue* (1995), *Careless Love* (1996), *Red Hands Club* (2000), *Sick of You* (2000), *Ivana* (2002), *Zookind* (2002), *Sunday Sukiyaki Restaurant* (2003), *An Essayist's Desk* (2001), *Autodidacts* (2004), *Donkeys* (2005), *The North Living-Room* (2009), and *Low Hills of Seoul* (2011) as well as the essay collection, *There's a Man Hiding in Me* (2000). Finally, an accomplished translator of German to Korean, Bae's translated works include Martin Walser's *Flower of Uneasiness*, Jacob Hein's *It Could Perhaps Even be Beautiful There*, Bertolt Brecht's *War Primer*, and Edgar Hilsenrath's *The Nazi and the Barber*.

번역 **장정화, 앤드류 제임스 키스트**

Translated by Chang Chung-hwa (Chloe Keast) and Andrew James Keast

2007년부터 한국의 현대 소설과 동화를 영어로 번역하는 일을 해왔다. 박성원의 소설 「캠핑카를 타고 울란바토르까지」를 공역하여 코리아 타임즈 제44회 현대문학번역 장려상을 수상하였다. 박성원의 『도시는 무엇으로 이루어지는가』라는 단편 소설집과 동화책 두 권은 한국문학번역원의 번역지원금을 받아 번역하였다. 『회색 時』는 그녀가 번역한 작품 중 처음으로 출간된 작품이다.

Chang Chung-hwa has been working on the translation of Korean literature since 2007, with a focus on modern fiction and children's stories. She received the Modern Korean Literature Translation Commendation Prize in 2013 with Park Seong-won's "By Motor-Home to Ulan Bator." For three of her projects—the collection of short stories, ***What Is It That Makes Up a City?*** by Park Seong-won, and two books for young children—she has been supported by grants from the Literature Translation Institute of Korea. This is her first published work.

앤드류 제임스 키스트는 한국의 대학에서 영어회화를 강의하며 번역 활동을 하고 있다. 박성원의 소설 「캠핑카를 타고 울란바토르까지」를 공역하여 코리아 타임즈 제44회 현대문학번역 장려상을 수상하였다. 한국문학번역원에서 박성원의 『도시는 무엇으로 이루어지는가』와 동화책 두 권으로 한국문학번역원에서 번역 지원을 받았다. 이번 출판 작품 외에도 여러 작품의 번역에 참여했으며 앞으로도 더 많은 작품의 번역, 출판에 참여하면서 언어적 기술을 더 연마하고자 매진하고 있다.

Andrew James Keast teaches English as a second language in Korea, where he also continues to practice and learn the art of translation. He received the Modern Korean Literature Translation Commendation Prize in 2013 with Park Seong-won's "By Motor-Home to Ulan Bator." In addition to this, his first published piece, he has worked on a variety of projects, three of which have been supported by grants from the Literature Translation Institute of Korea—two books for children, and Park Seong-won's collection of short stories, ***What Is It That Makes Up a City?*** Mr. Keast looks forward to the completion of more work for publication—and always to the further cultivation of his linguistic skills.

감수 **전승희** Edited by Jeon Seung-hee

전승희는 서울대학교와 하버드대학교에서 영문학과 비교문학으로 박사 학위를 받았으며, 현재 하버드대학교 한국학 연구소의 연구원으로 재직하며 아시아 문예 계간지 《ASIA》 편집위원으로 활동 중이다. 현대 한국문학 및 세계문학을 다룬 논문을 다수 발표했으며, 바흐친의 『장편소설과 민중언어』, 제인 오스틴의 『오만과 편견』 등을 공역했다. 1988년 한국여성연구소의 창립과 《여성과 사회》의 창간에 참여했고, 2002년부터 보스턴 지역 피학대 여성을 위한 단체인 '트랜지션하우스' 운영에 참여해 왔다. 2006년 하버드대학교 한국학 연구소에서 '한국 현대사와 기억'을 주제로 한 워크숍을 주관했다.

Jeon Seung-hee is a member of the Editorial Board of ***ASIA***, is a Fellow at the Korea Institute, Harvard University. She received a Ph.D. in English Literature from Seoul National University and a Ph.D. in Comparative Literature from Harvard University. She has presented and published numerous papers on modern Korean and world literature. She is also a co-translator of Mikhail Bakhtin's ***Novel and the People's Culture*** and Jane Austen's ***Pride and Prejudice***. She is a founding member of the Korean Women's Studies Institute and of the biannual Women's Studies' journal ***Women and Society*** (1988), and she has been working at 'Transition House,' the first and oldest shelter for battered women in New England. She organized a workshop entitled "The Politics of Memory in Modern Korea" at the Korea Institute, Harvard University, in 2006. She also served as an advising committee member for the Asia-Africa Literature Festival in 2007 and for the POSCO Asian Literature Forum in 2008.

바이링궐 에디션 한국 대표 소설 044
회색 時

2013년 11월 14일 초판 1쇄 인쇄 | 2013년 11월 21일 초판 1쇄 발행

지은이 배수아 | **옮긴이** 장정화, 앤드류 제임스 키스트 | **펴낸이** 방재석
감수 전승희 | **기획** 정은경, 전성태, 이경재
편집 정수인, 이은혜 | **관리** 박신영 | **디자인** 이춘희
펴낸곳 아시아 | **출판등록** 2006년 1월 31일 제319-2006-4호
주소 서울특별시 동작구 흑석동 100-16
전화 02.821.5055 | **팩스** 02.821.5057 | **홈페이지** www.bookasia.org
ISBN 978-89-94006-94-9 (set) | 978-89-94006-07-9 (04810)
값은 뒤표지에 있습니다.

Bi-lingual Edition Modern Korean Literature 044
Time In Gray

Written by Bae Su-ah I **Translated by** Chang Chung-hwa and Andrew James Keast
Published by Asia Publishers I 100-16 Heukseok-dong, Dongjak-gu, Seoul, Korea
Homepage Address www.bookasia.org I **Tel**. (822).821.5055 I **Fax**. (822).821.5057
First published in Korea by Asia Publishers 2013
ISBN 978-89-94006-94-9 (set) I 978-89-94006-07-9 (04810)